MUITO ALÉM DAS CURTIDAS!

Desde que foi lançado, em 2004, o Facebook transformou para sempre a forma de as pessoas se relacionarem umas com as outras. E com os negócios não foi diferente: uma das maiores empresas de tecnologia do mundo trouxe novas formas de divulgar e vender produtos e serviços.

Ao longo dos anos, a plataforma foi se atualizando para tornar a experiência dos usuários muito melhor, seja para uso pessoal e, principalmente, para quem utiliza a rede social de forma profissional. Fanpage, eventos, grupos, loja virtual... São muitas as oportunidades para ganhar seguidores e fazer negócios. Os anúncios também ganharam um papel fundamental para pequenas, médias e grandes empresas, trazendo rentáveis e efetivos resultados.

Neste guia, você vai aprender o bê-a-bá de como desbravar o Facebook e tirar o máximo proveito da plataforma para aumentar o seu faturamento: tutorial de como criar e manter uma fan page; o que, como e quando publicar; por que investir em anúncios; como analisar as métricas, entre outros. Além disso, fizemos um glossário com os principais termos do marketing digital para você ficar por dentro do assunto e ensinamos a produzir vídeos e fotos que vão dar uma cara nova ao seu negócio.

Pronto para dar o primeiro passo para o sucesso?

ÍNDICE

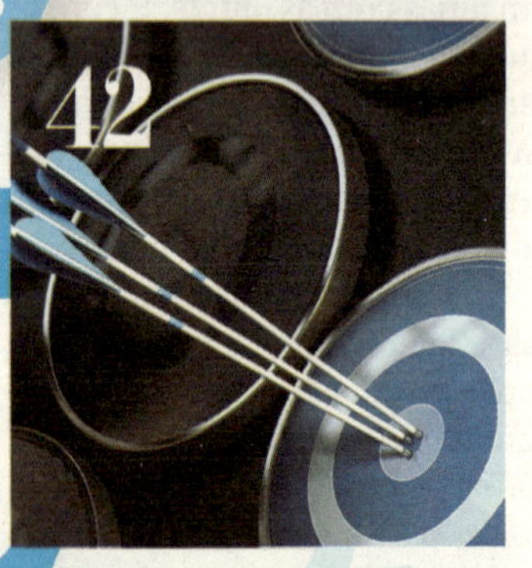

68

76

90

108
100%
80%

A HISTÓRIA DA MAIOR REDE SOCIAL DO MUNDO

POR BÁRBARA RONCADA | IMAGENS: SHUTTERSTOCK

QUEM TRABALHOU COM **MARK ZUCKERBERG** NA CRIAÇÃO DO FACEBOOK? QUANDO FOI LANÇADO O BOTÃO "CURTIR"? QUANDO O APLICATIVO CHEGOU AO BRASIL? VEJA AS RESPOSTAS DESTAS E OUTRAS PERGUNTAS NESTA MATÉRIA ESPECIAL SOBRE A **HISTÓRIA DE UMA DAS MAIORES REDES SOCIAIS DO MUNDO**

Em 2004, foi criada a rede social que transformou para sempre a forma de nos relacionarmos virtualmente com amigos, familiares, colegas de trabalho e até pessoas que não conhecemos pessoalmente. Essa rede também mudou a maneira de vender produtos e serviços e fazer negócios. Estamos falando, é claro, do Facebook, criado pelos norte-americanos Mark Zuckerberg (idealizador e CEO da empresa), Dustin Moskovitz e Chris Hughes, e pelo brasileiro Eduardo Saverin.

A que é hoje uma das maiores empresas de tecnologia do planeta – com uma receita extraordinária de 29 bilhões de dólares no primeiro trimestre de 2021 –, nasceu como uma página simples na web com perfis de alunos da Universidade de Harvard, nos Estados Unidos. O caminho da empresa de Zuckerberg nos primeiros anos foi tortuoso e polêmico, mas em pouco tempo o Facebook se tornou um grande sucesso e revolucionou as redes sociais e a internet.

Nas próximas páginas, você vai conhecer a história do Facebook e de seu criador Mark Zuckerberg, bem como essa empresa se tornou tão importante no mundo dos negócios. Além disso, vamos revelar quando e como o marketing digital passou a fazer parte de nossas vidas.

O ano era 2004. George W. Bush foi reeleito presidente dos Estados Unidos. A Agência Espacial Europeia comprovou a existência de água em Marte. O filme *O Senhor dos Anéis – O Retorno do Rei* venceu 11 Oscars, incluindo o de melhor filme. O Brasil conheceu uma das maiores vilãs da televisão nacional – e que ainda hoje rende muitos memes na internet –, Nazaré Tedesco, interpretada por Renata Sorrah, na novela *Senhora do Destino*. Além de tudo isso, também foi o ano de criação da maior rede social do mundo: o Facebook.

Na época, Mark Zuckerberg era apenas um jovem estudante da universidade de Harvard, nos Estados Unidos, e um prodígio da programação. Mark e seus colegas de faculdade Chris Hughes, Dustin Moskovitz e Eduardo Saverin (sim, um brasileiro!) criaram o site thefacebook.com, com base em uma página de web similar programada por Mark no ano anterior, que permitia que os usuários comparassem fotos de alunos do campus.

A nova rede, thefacebook.com, disponível apenas para alunos de Harvard, possibilitava que usuários criassem perfis com fotos e informações próprias e se conectassem aos amigos da faculdade de forma virtual. O site, programado diretamente de dentro do dormitório de Zuckerberg, fez tanto sucesso que acabou sendo expandido para outras universidades norte-americanas: Stanford, Columbia, Yale, entre outras.

Em setembro de 2004, foi incluído no thefacebook.com a funcionalidade de mural, em que as pessoas podiam deixar mensagens para os amigos. No ano seguinte, o site já contava com 5 milhões de usuários ativos, todos membros de universidades dos Estados Unidos. Na época, a rede social mudou de nome para o simples e hoje mundialmente conhecido Facebook.

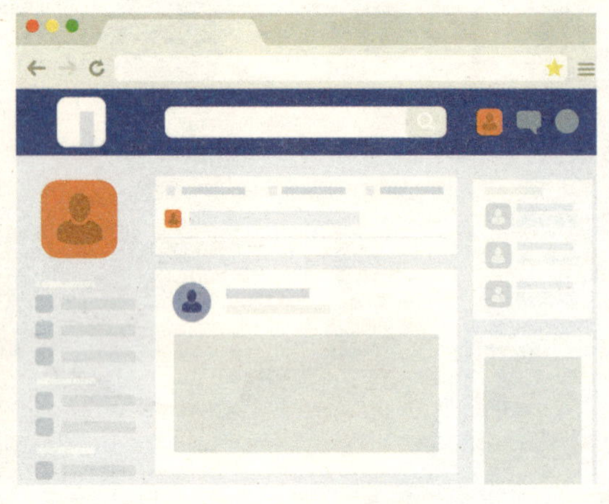

A PRIMEIRA EQUIPE DO FACEBOOK EM 2004
Mark Zuckerberg: idealizador e fundador
Dustin Moskovitz: chefe de tecnologia e engenharia
Chris Hughes: relações públicas
Eduardo Saverin: chefe do setor financeiro

ATUALIZAÇÕES CERTEIRAS

Ainda em 2005, outros importantes avanços aconteceram: a abertura da rede para alunos de ensino médio dos Estados Unidos, a liberação de postagem de fotos, marcação de amigos nas publicações e a mudança da equipe para Palo Alto, na Califórnia. Neste período, Eduardo Saverin deixou o grupo em um dos casos polêmicos dos primeiros anos do Facebook.

Já em 2006, o Facebook chegou aos celulares e se tornou aberto a qualquer pessoa no mundo, levando a plataforma ao número expressivo de 12 milhões de usuários apenas dois anos após o lançamento. Neste mesmo ano chegou o famoso "feed de notícias", tão conhecido hoje, que apresenta publicações de pessoas da sua rede.

A chegada oficial do Facebook no Brasil ocorreu apenas em 2007, quando a plataforma recebeu uma versão em português. Porém, em pouco tempo a nova rede social se tornou uma das queridinhas dos brasileiros, na época bastante familiarizados com o Orkut.

Desde então, o Facebook foi crescendo e abrindo novos caminhos para a comunicação em rede, a maneira como nos relacionamos e até a forma com a qual nós fazemos negócios. Falaremos mais sobre isso nas próximas páginas.

Você deve estar se perguntando: e o botão "curtir", presente hoje de formas distintas em praticamente todas as redes sociais? Pois é, essa revolução da internet aconteceu apenas em 2009! É até difícil imaginar como era a vida antes disso, não é verdade?

Em 2010, o Facebook foi repaginado e ganhou um design bem mais próximo do atual, com a foto do usuário no topo e a navegação mais dinâmica. Também foi lançado o Places, páginas personalizadas de estabelecimentos com mapas e avaliações de usuários.

Enquanto a rede social se modernizava e conquistava seguidores, a empresa criada por Zuckerberg crescia e ganhava seu primeiro data center no estado do Oregon, nos Estados Unidos. No ano seguinte, as chamadas de vídeo foram lançadas na plataforma, e o chat, rebatizado para Messenger, também chegou ao mobile.

Já em 2012, a companhia estava robusta a ponto de poder adquirir outras empresas. Por "apenas" 1 bilhão de dólares, o Facebook adquiriu o aplicativo de compartilhamento de fotos Instagram, e dois anos depois foi a vez de comprar o WhatsApp por uma quantia bem mais expressiva: 22 bilhões de dólares.

De lá para cá, o Facebook seguiu crescendo consideravelmente e se mantém entre as redes sociais mais acessadas do mundo. Não à toa, o aplicativo é um canal-chave nas estratégias de marketing digital de milhares de negócios ao redor do globo.

A REDE SOCIAL

O filme *A Rede Social*, lançado em 2010 sob a direção de David Fincher, traz Jesse Eisenberg no papel de Mark Zuckerberg, um gênio da programação com sérios problemas de relacionamento social. O filme gerou muita polêmica ao retratar Mark de forma negativa, bem diferente da aparição dele, no mesmo ano, na série de TV *Os Simpsons*. Não sabemos qual das produções retrata de forma mais fiel o empresário, mas, de qualquer forma, se você gosta de filmes e quer entender mais a história do Facebook, vale a pena conferir a produção.

FACEBOOK EM NÚMEROS

18 ANOS
desde a criação do Facebook

29 MILHÕES
em receita no segundo trimestre de 2021

2,7 BILHÕES
de usuários ativos no Facebook no mundo e 130 milhões no Brasil

MAIS DE 100 MILHÕES
de mensagens enviadas por dia

CRONOLOGIA DE LANÇAMENTOS E AQUISIÇÕES DE APLICATIVOS DO FACEBOOK:

2004 2005 2006 2007 2008 2009 2010 2011

17 CENTROS de dados no mundo, utilizando energia 100% renovável

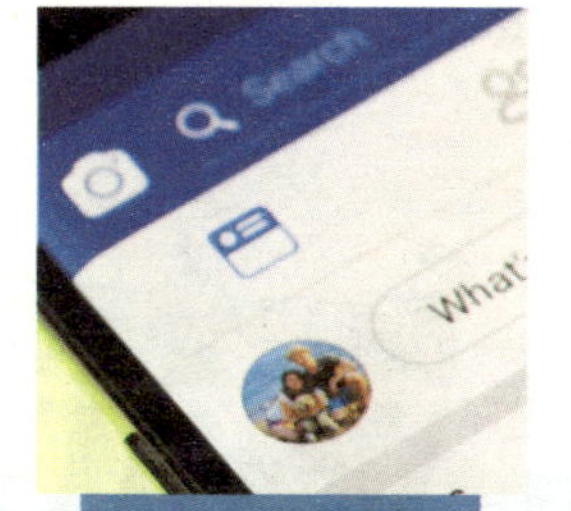

1 BILHÃO de stories publicados todos os dias

Escritórios físicos em mais de **80 CIDADES DO MUNDO**

MAIS DE 200 MILHÕES de negócios ao redor do mundo utilizam as soluções do Facebook para se conectar com os consumidores e crescer os negócios

2012 | 2013 | 2014 | 2015 | 2016 | 2017 | 2018 | 2019

A VEZ DO MARKETING DIGITAL

Já falamos bastante sobre o protagonista deste guia, o Facebook, mas também é importante abordarmos outro termo muito importante: o marketing digital.

Enquanto o surgimento do marketing tradicional data de mais de meio século atrás, com a invenção da prensa de Gutemberg – que possibilitou a impressão de propagandas em larga escala –, é considerado que o marketing digital surgiu na década de 1990, com a popularização da internet, sobretudo nos Estados Unidos e em países com maior acesso aos computadores pessoais na época. No Brasil, a ascensão do marketing digital se deu nos anos 2000, momento em que a penetração dos computadores nos domicílios se tornou mais abrangente.

O marketing digital empresta todos os conceitos do marketing tradicional e os aplica ao ambiente digital, como uma forma de atingir o público-alvo no momento mais importante. Diferentemente da publicidade, o marketing é uma via de mão dupla e requer interação do consumidor com a marca. Nesse sentido, a aplicação do marketing no ambiente virtual leva a estratégia a um novo nível de segmentação e alcance.

Vamos explorar um pouco mais estes dois aspectos, começando pela segmentação. No mundo do marketing, chamamos de segmentação a estratégia de definir de forma bastante detalhada o público-alvo de uma ação, considerando dados demográficos como localização, idade, gênero ou dados comportamentais, como hábitos de consumo e hábitos de navegação na internet.

Atrelado à alta segmentação dada à granularidade das informações sobre os usuários de internet, vem o alto nível de alcance das ações de marketing digital. Enquanto um outdoor em uma avenida central de uma cidade poderia atingir apenas as pessoas que passassem por aquele determinado local, um banner em um website pode atingir pessoas do país inteiro, por exemplo.

Outro fator muito relevante sobre o marketing digital é a democratização do acesso à propaganda – se no marketing tradicional apenas os grandes players tinham condições financeiras para investir em estratégias robustas, no marketing digital as opções são muitas, e os custos variam. O marketing de mídias sociais, por exemplo, é um tipo de estratégia de marketing digital que pode ser iniciado com baixo investimento.

O resultado dessa equação já deve estar claro em sua mente: com investimento moderado e a estratégia correta, pequenos, médios e grandes negócios conseguem divulgar sua marca de forma eficiente por ações de marketing digital e atingir o público certo no momento ideal.

LINHA DO TEMPO: O SURGIMENTO DA INTERNET E DO MARKETING DIGITAL

1958 – Em meio à Guerra Fria, os Estados Unidos criam a DARPA (Agência de Projetos de Pesquisa Avançada de Defesa), responsável por pesquisas e desenvolvimento de tecnologia para defender as informações do governo americano, entre outros propósitos militares.

1961 – O cientista da computação Leonard Kleinrock apresenta a teoria de rede de nós, por meio da qual dois servidores poderiam enviar e receber informações entre si.

1962 – O engenheiro e chefe da DARPA Joseph Licklider apresenta um outro conceito superimportante para o surgimento da internet: a rede intergaláctica de computadores, por meio da qual se podia acessar dados de qualquer lugar do mundo mediante um computador ligado à rede. Enquanto isso, outro pioneiro da internet, Paul Baran, trabalhava na criação de um sistema em rede descentralizada – ao armazenar as informações dessa forma, ainda que um computador da rede fosse destruído, os dados ainda seriam acessíveis por todos os outros.

1969 – A DARPA conclui com sucesso um teste com computadores em rede descentralizada, projeto de Lawrence G. Roberts, Robert Kahn e Howard Frank. Por meio da rede então chamada ARPANET, duas universidades norte-americanas se conectaram. Ainda naquele ano, a rede seria estendida para quatro universidades.

1970 – A rede ARPANET já estava consolidada quando o Network Working Group estabeleceu o protocolo Network Control Protocol (NCP), por meio do qual era possível criar aplicativos a partir de um computador ligado à ARPANET. Dois anos depois nascia o primeiro software de e-mail da história.

1974 – O NCP apresentava um único problema: não era possível utilizá-lo em computadores fora da ARPANET, como redes de ondas de rádio ou satélites. Com isso, vem um novo avanço: Robert Kahn e Vinton Cerf desenvolvem uma nova versão do NCP que possibilita a conexão com máquinas em outras redes. Esse protocolo ganhou o nome de Transmission Control Protocol/Internet Protocol (TCP/IP). Em 1983 a própria ARPANET deixa de usar o protocolo NCP e adota o TCP/IP. Na mesma época, a tecnologia passa a ser chamada de internet como conhecemos hoje.

1987 – O acesso à internet, até então restrito a militares e cientistas, passa a ser liberado nos Estados Unidos para fins comerciais.

1992 – Tim Berners-Lee desenvolve a World Wide Web a serviço da Organização Europeia para a Investigação Nuclear (CERN). A WWW consiste na distribuição de hipertextos por meio de uma rede conectada à internet, o que permitia que mais de uma pessoa trabalhasse em uma mesma página ao mesmo tempo, a partir de computadores diferentes. Na mesma época, era criado o protocolo HTTPS (HyperText Transfer Protocol Secure). Com isso, temos o embrião da internet atual.

Fim dos anos 1990 – Com a abertura da WWW ao público, a popularização da internet para fins educacionais e comerciais e a chegada dos computadores pessoais, a conectividade em rede tornou-se parte da vida das pessoas. Também nascem grandes portais como AOL, Yahoo!, Google e outros. Surge o comércio eletrônico e o marketing digital. Já as redes sociais chegaram com força nos anos 2000.

PRIMEIRO PASSO PARA O SUCESSO

POR BÁRBARA RONCADA | IMAGENS: SHUTTERSTOCK

QUER CONSTRUIR A PRESENÇA DIGITAL DA SUA MARCA POR MEIO DO FACEBOOK E NÃO SABE POR ONDE COMEÇAR? COM ESTE GUIA VOCÊ VAI VER COMO É SIMPLES CRIAR UMA PÁGINA PARA **O SEU NEGÓCIO NA MAIOR REDE SOCIAL DO MUNDO** E AUMENTAR AS SUAS VENDAS!

Você está planejando construir uma forte presença digital para a sua marca ou negócio por meio do Facebook e não sabe por onde começar? Veja neste guia simples como criar uma página para o seu negócio na rede social e começar a atrair clientes, além de aumentar as suas vendas!

Vamos começar pelo início: você sabe o que é essencial na hora de criar uma página no Facebook? Como definir o nome da página e quais informações são imprescindíveis para atrair o seu público?

A regra de ouro é fornecer aos seus potenciais clientes todas as principais informações de que ele precisa sobre a sua marca, seus produtos e seu negócio de forma simples, clara e objetiva. A sua página deve ser capaz de informar e encantar o cliente, além de demonstrar credibilidade e autoridade no setor em que atua. Para isso, é importante investir em uma boa descrição e imagens de capa e perfil de qualidade.

Complicado? Não, é mais simples do que parece! Veja o passo a passo nas páginas a seguir!

COMO CRIAR A SUA PÁGINA PROFISSIONAL NO FACEBOOK

Você está começando a trabalhar em uma estratégia de marketing digital para a sua empresa e não sabe por onde começar? Criar uma página com todas as informações do seu negócio em grandes redes sociais, como o Facebook, é um dos primeiros passos. Mas, então, como criar uma página? Siga o tutorial:

1 Acesse facebook.com/pages/create para criar uma nova página. Ao lado esquerdo da página há alguns campos para preenchimento. Você também poderá ver uma prévia da sua página conforme preencher os campos.

2 No primeiro campo ao lado esquerdo, adicione o nome da sua página – deve ser o nome do seu negócio ou da sua marca.

3 No segundo campo, escolha a categoria do seu negócio ou da sua marca, algo que descreva o tipo de empresa.

4 No terceiro campo, adicione uma breve descrição do seu negócio.

5 Clique em "Criar uma página".

FOTOS: REPRODUÇÃO DA INTERNET

6

Após salvar as primeiras informações, a página irá abrir mais dois campos para preenchimento: a foto de perfil e de capa. A foto deve ser o logo da sua marca ou empresa. A capa pode ser também uma peça com aplicação do seu logo, a fachada do comércio ou algo que tenha a ver com o seu negócio. Após enviar ambas as imagens, você poderá visualizar a sua nova página e adicionar mais detalhes.

7

Pronto, a página está criada com as informações básicas! Para torná-la mais interessante e visível para os clientes, é importante adicionar outras informações relevantes. No campo "Sobre", informe dados para contato, link para website (se houver), breve histórico da empresa e também o link para outras redes sociais.

A IMPORTÂNCIA DO NOME

O nome da sua página deve ser igual ao nome da sua marca, para garantir que os seus clientes encontrem a sua fan page com facilidade. Além disso, o Facebook tem algumas regras importantes quanto ao nome de uma página.

AO CRIAR O NOME DE SUA PÁGINA, EVITE:

- Termos ou frases que possam ser abusivos ou violar os direitos de alguém.
- O termo "oficial" caso não seja a página oficial de uma marca, um local, uma organização ou uma figura pública.
- Usar inadequadamente maiúsculas e minúsculas (por exemplo, O mElHor CaFÉ). Os nomes de páginas devem usar a capitalização gramaticalmente correta e não podem ter somente letras maiúsculas, exceto para acrônimos.
- Símbolos (por exemplo, ®) ou pontuação desnecessária.
- Descrições ou slogans (por exemplo, O Melhor Café – Servimos o melhor café da cidade). As pessoas que gerenciam as páginas podem adicionar essa informação na seção Sobre da página.
- Qualquer variação da palavra "Facebook" não é válida.
- Colocar somente palavras genéricas (por exemplo, Pizza). As páginas precisam ser gerenciadas por representantes oficiais do tópico que tratam.
- Localizações geográficas genéricas (por exemplo, Nova York). No entanto, você pode criar o nome de uma página para uma organização que representa uma localização geográfica. Por exemplo, «Cidade de Nova York – Prefeitura» e «Rainha Elizabeth II da Grã Bretanha» são aceitáveis como nomes de páginas.

Fonte: https://www.facebook.com/help/519912414718764

O QUE FAZER E O QUE NÃO FAZER NA HORA DE CRIAR A PÁGINA DO SEU NEGÓCIO NO FACEBOOK

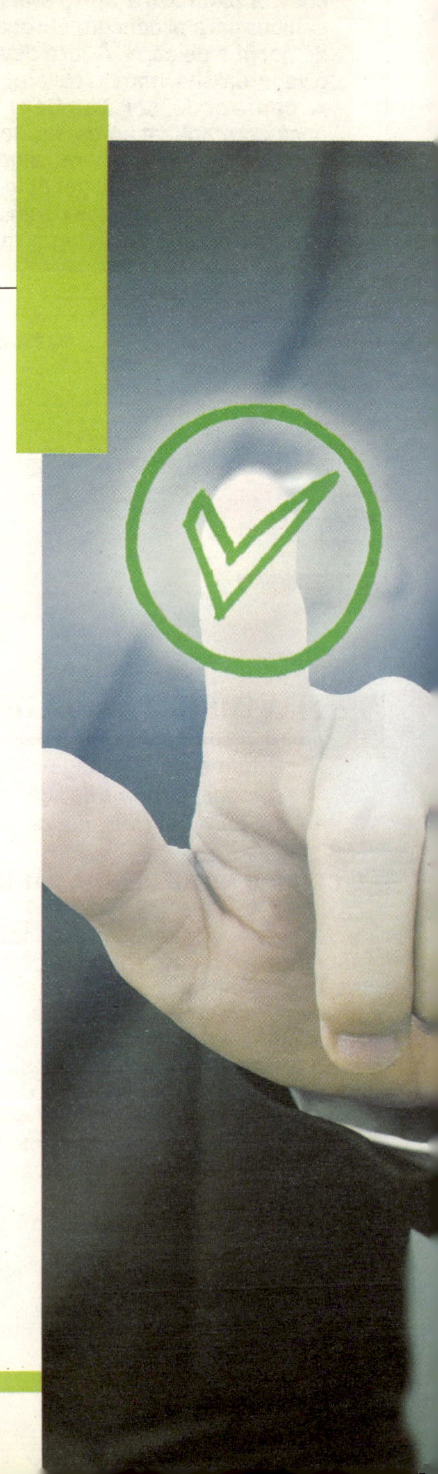

SEUS SEGUIDORES VÃO CURTIR SE VOCÊ...

- Adicionar o nome exato da sua marca ou do seu negócio

- Colocar a categoria exata de sua marca ou do seu negócio

- Escrever uma breve descrição dos produtos ou serviços oferecidos

- Usar a logo da marca ou do negócio, assim como outras imagens próprias

- Divulgar telefones e e-mails válidos e atualizados

- Incluir um breve histórico da marca ou empresa no "Sobre"

- Inserir o link para o site próprio da marca ou negócio, bem como para as outras redes sociais

SEUS SEGUIDORES NÃO VÃO CURTIR SE VOCÊ...

• Adicionar o nome da sua marca ou negócio de forma abreviada, com slogans ou outras informações desnecessárias

• Escolher uma categoria que não se enquadra corretamente nos produtos ou serviços oferecidos pela sua marca ou negócio

• Incluir informações de contato, slogans e frases de efeito ou outras informações que não sejam relevantes

• Colocar imagens que não sejam próprias da sua marca ou negócio

• Divulgar informações de contato desatualizadas

• Repetir as informações contidas na descrição ou informações que não sejam relevantes no "Sobre"

• Inserir links para perfis ou sites de pessoas físicas (exemplo: perfil em rede social do dono do negócio)

NA MIRA CERTA

POR BÁRBARA RONCADA | IMAGENS: SHUTTERSTOCK

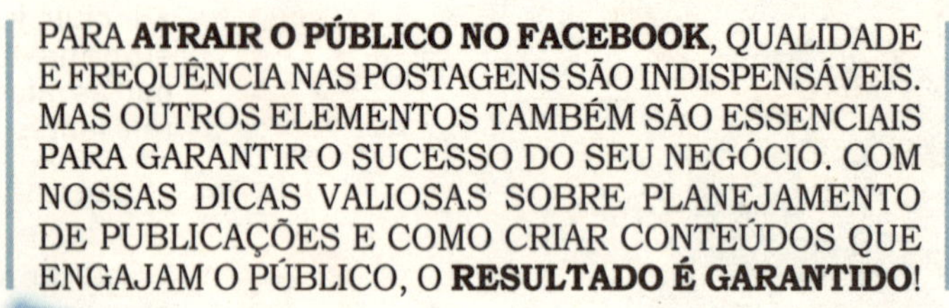

PARA **ATRAIR O PÚBLICO NO FACEBOOK**, QUALIDADE E FREQUÊNCIA NAS POSTAGENS SÃO INDISPENSÁVEIS. MAS OUTROS ELEMENTOS TAMBÉM SÃO ESSENCIAIS PARA GARANTIR O SUCESSO DO SEU NEGÓCIO. COM NOSSAS DICAS VALIOSAS SOBRE PLANEJAMENTO DE PUBLICAÇÕES E COMO CRIAR CONTEÚDOS QUE ENGAJAM O PÚBLICO, O **RESULTADO É GARANTIDO**!

Nos capítulos anteriores, nós vimos como criar uma página relevante para a sua marca ou negócio no Facebook, mas a dúvida que fica é: como definir o que postar e quando publicar de forma a atrair potenciais clientes?

Antes de qualquer coisa, é imprescindível conhecer o seu público, entender suas preferências de conteúdo e horários, de que forma este público consome o que vê na internet e, principalmente, o que é mais relevante para ele.

A primeira boa notícia é que você pode testar diversas vezes até encontrar os melhores caminhos. A segunda boa notícia é que você não está sozinho nessa! Nós contamos tudo o que é necessário para planejar e criar conteúdo para a sua página no Facebook, e ainda trazemos diversas dicas de tipos de publicações que geram mais engajamento na rede. Confira a seguir!

PLANEJAMENTO É ESSENCIAL

Há duas palavrinhas mágicas no universo das redes sociais: frequência e qualidade. Ter uma frequência de publicações predefinida oferece três grandes vantagens: facilita o gerenciamento das suas atividades para aprimorar a presença digital da sua marca dentro da sua rotina de atividades profissionais; permite agendamento prévio e, portanto, previsibilidade; e, por fim, aumenta a fidelização do público.

RUMO AO SUCESSO

Para criar seu planejamento de publicações e acelerar a estratégia de marketing do seu negócio, listamos seis passos importantes:

1

DEFINA UMA ESTRATÉGIA
O que você quer atingir com a sua página no Facebook? O objetivo da sua presença na rede vai guiar todas as suas decisões, quais tipos de publicações e anúncios você irá escolher, quais serão seus indicadores de performance e de que forma você irá otimizar seu perfil. Os objetivos podem ser, por exemplo: atrair os clientes para o seu site de vendas, conectar-se com o público, aumentar a visibilidade e o alcance da marca, entre outros.

DEFINA SEUS INDICADORES DE PERFORMANCE

Com a sua estratégia definida, ou seja, com um objetivo claro de "onde você quer chegar" com a sua estratégia de conteúdo no Facebook, fica mais fácil decidir quais indicadores ou métricas irá acompanhar (você encontrará bastante o termo KPI para se referir a essas métricas. A sigla vem do inglês *key performance indicator*, ou, em português, indicador-chave de desempenho).

Alguns exemplos de indicadores: se seu objetivo com a estratégia de marketing no Facebook for aumentar as vendas no site, você deverá acompanhar o número de usuários que chegam ao seu site ao clicarem em suas publicações no Facebook e, destes usuários, quantos realizam compras. Já se você pretende se conectar com o público, as métricas devem estar relacionadas ao engajamento com suas publicações.

Para saber mais sobre análise de performance do Facebook, temos um capítulo inteiro do guia dedicado ao assunto (confira na página 56).

OTIMIZE A SUA PÁGINA NO FACEBOOK

No capítulo anterior, em que falamos sobre a criação da página da sua empresa no Facebook, vimos diversas dicas para otimizar a sua página e garantir uma melhor experiência para seus seguidores. Um ponto muito importante é garantir que todas as publicações estejam alinhadas com a identidade visual da marca e que conversem entre si.

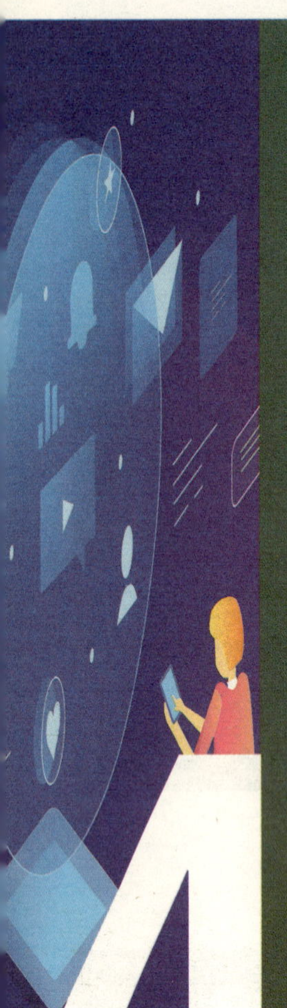

4 CRIE UM PLANO DE PUBLICAÇÕES

Chegamos ao planejamento de suas publicações. A frequência e o formato dos posts variam bastante para cada rede social, mas, de acordo com a *Sprout Social* (ferramenta de gerenciamento de mídias sociais), a frequência ideal de publicações no Facebook é de 3 a 10 posts por semana. No entanto, você deve identificar o que funciona melhor para a sua realidade, considerando o tempo que consegue dedicar para produzir as publicações e os tipos de conteúdo que quer divulgar.

Tendo em mente o conteúdo e a quantidade de publicações que pretende fazer por semana, é hora de criar um calendário editorial, que nada mais é do que um cronograma de publicações. Neste plano, você deve definir quais serão os dias da semana e horário em que vai realizar publicações e quais serão os conteúdos. Caso você queira investir em anúncios, também é importante adicionar no calendário qual será o tipo de divulgação. Outro ponto essencial é ter uma "reserva" de conteúdos prontos e agendados com duas semanas de antecedência, pois dessa forma você garante a frequência das publicações.

Além das publicações planejadas, o ideal é estar atento às tendências (incluindo memes) e criar conteúdos que dialoguem com o público, envolvendo os temas mais quentes do momento. Estes conteúdos criados podem substituir algum post que você tenha programado ou complementar o calendário. Mas, lembre-se: todas as publicações devem dialogar entre si, ter a mesma identidade visual e o mesmo "tom de voz".

Mais uma dica valiosa: esteja atento às datas importantes! Baseada nelas, você pode criar campanhas específicas para o seu público, como festas de fim de ano, férias, volta às aulas, e/ou datas que sejam relevantes para o seu mercado.

5 CRIE E AGENDE SUAS PUBLICAÇÕES

Estratégia? OK. KPIs? OK. Página otimizada? OK. Calendário editorial? OK! Então, coloque a mão na massa e crie seus posts, agende suas publicações e anúncios! A qualidade das imagens utilizadas nas redes sociais é superimportante, e fizemos uma matéria específica sobre isso (leia na página 82).

REVISE A SUA ESTRATÉGIA E SEU PLANO DE PUBLICAÇÕES SEMPRE QUE NECESSÁRIO!

Você criou a sua página no Facebook há alguns meses para aumentar a visibilidade da sua marca, mas agora tem um novo site de vendas e precisa usar sua rede para levar os seguidores para lá? Sem problemas! Reveja a sua estratégia. A estratégia – e o plano de publicações – não deve ser "escrito em pedra", ou seja, você pode e deve sempre revisitá-la e ajustá-la conforme a necessidade atual do seu negócio.

MELHORES HORÁRIOS E DIAS DA SEMANA PARA POSTAR

Assim como a frequência de publicações por semana, os dias e horários ideais para publicar variam de acordo com a rede social – e também se considerarmos o público e o segmento. Porém, de forma geral, nós podemos usar como base o gráfico da *Sprout Social* (vide imagem abaixo) e tirar algumas conclusões valiosas.

- A melhor faixa de horário para publicar é das 9h às 15h;
- Quinta-feira é o dia com maior taxa engajamento;
- O horário campeão é quarta-feira entre 11h e 14h;
- Domingo não é um bom dia para postar, pois apresenta baixa taxa de engajamento.

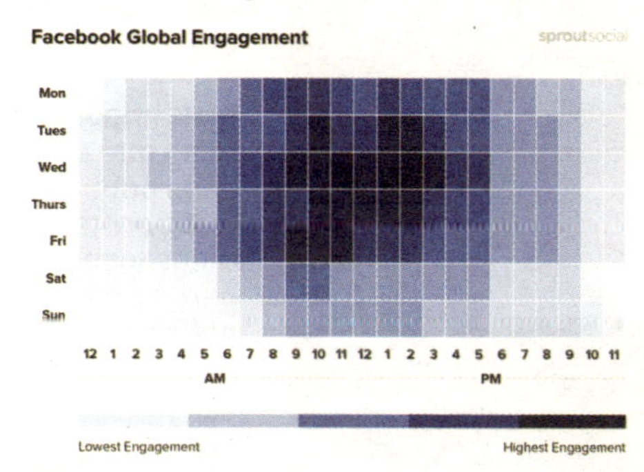

Estas são ótimas diretrizes para começar o seu planejamento de posts, porém é importante ter em mente que a taxa de engajamento por horário pode variar – e muito. Então, a melhor forma de planejar os dias e horários das suas postagens é conhecer o seu público. Realize testes, acompanhe os resultados e compreenda qual é o melhor horário para o seu público.

Fonte: https://www.facebook.com/help/519912414718764

COMO CRIAR CONTEÚDOS QUE ENGAJAM O PÚBLICO?

No comecinho deste capítulo, falamos sobre duas palavrinhas mágicas no marketing de conteúdo nas redes sociais: frequência e qualidade. Comentamos bastante sobre frequência, como, por exemplo, como montar o plano de postagens e dicas importantes. Mas, e sobre a qualidade? Em 5 minutos nas redes sociais, somos bombardeados por imagens, vídeos, textos e anúncios, e é difícil se destacar em meio a tanta "concorrência". O principal fator de diferenciação está na relevância dos conteúdos. Ou seja, não adianta nada ter uma página linda, organizada, otimizada e com uma identidade visual bem trabalhada se você apenas "posta por postar". É importante investir na criação de posts que atraiam o público e gerem engajamento. Por isso, selecionamos algumas dicas que podem fazer diferença no sucesso da sua página profissional:

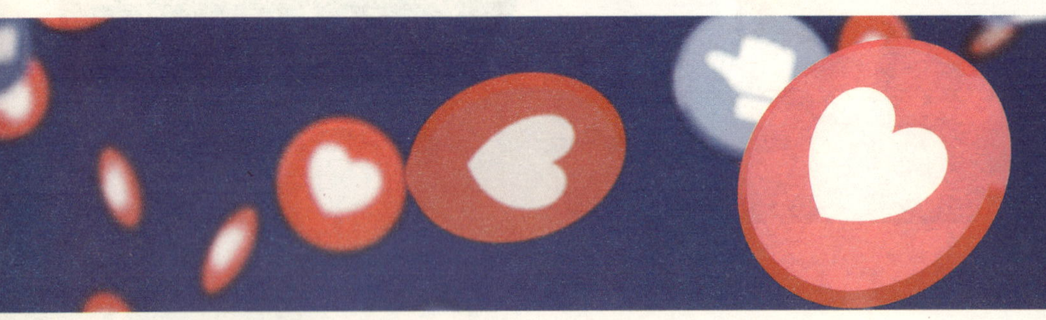

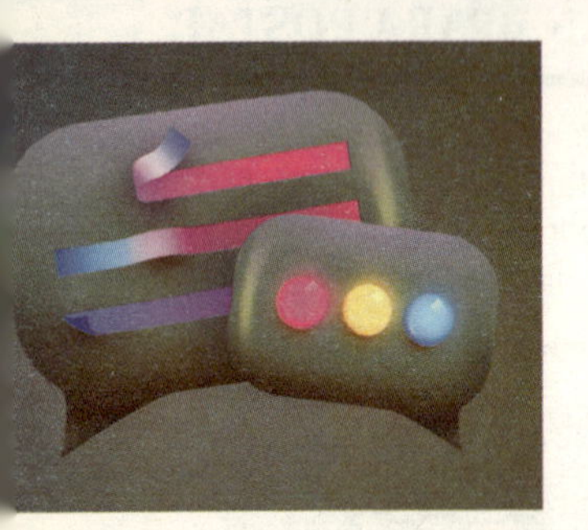

1 CONVERSE COM SEUS SEGUIDORES

O engajamento nas redes sociais depende não só da interação dos usuários com as páginas, mas também das páginas com os seguidores. Faça perguntas aos seus seguidores, convide-os a conversar! Posts com perguntas para os usuários e/ou que convidam os seguidores a marcar amigos tendem a ter um alto índice de engajamento.

Mais importante: responda aos seus seguidores! Esteja atento ao que os usuários falam sobre você em comentários em suas publicações ou em posts próprios, e responda a eles. O algoritmo do Facebook valoriza também a resposta de mensagens privadas, dando um selinho de "Responde rápido" para as páginas que não deixam seus seguidores esperando por resposta no Messenger.

2 APOSTE EM FORMATOS DISTINTOS

Textos curtos ou longos, imagens estáticas, GIFs, vídeos, galerias... Explore diferentes formatos de publicações para atrair seu público! Conforme você fizer novos posts e analisar os resultados, poderá ter melhor visibilidade de quais formatos agradam mais os seus seguidores.

3 PROMOVA CONCURSOS OU SORTEIOS

Quem não gosta de concorrer a prêmios em um concurso ou sorteio? São muitas as páginas que apostam nesse recurso para gerar engajamento, que de fato aumenta muito o engajamento com a página. Mas é importante verificar com cuidado a Lei 5.768 de dezembro de 1971 sobre distribuição gratuita de prêmios para garantir estar de acordo com a legislação, como:

- O lançamento e até a divulgação da promoção não podem ser feitos antes de receber o Certificado de Autorização emitido pela Secretaria de Avaliação, Planejamento, Energia e Loteria (SECAP), cujo número deve estar legível e constar em todo o material da promoção comercial;
- Respeite o prazo da permissão descrito no Certificado de Autorização. Ele não ultrapassa 12 meses;
- As penalidades para a empresa que realizar o sorteio sem permissão ou não respeitar o Regulamento aprovado podem envolver a cassação da autorização, a proibição da prática por até dois anos e multa de até 100% do valor total dos prêmios;
- É terminantemente proibida a conversão ou a distribuição de prêmios em dinheiro;
- É necessário prestar contas após o término da ação.

Para informações detalhadas, acesse: https://tinyurl.com/kdu6j5h7

4 INVISTA NOS CONTEÚDOS QUE TÊM BOM DESEMPENHO

Uma das vantagens da facilidade da análise de desempenho das publicações no Facebook é poder avaliar rapidamente quais tipos de publicação têm melhor performance. Lembra-se que falamos sobre fazer testes para identificar os melhores dias e horários para publicar? Isso também vale para o formato e o conteúdo em si.

Se um tipo específico de conteúdo tem um bom desempenho na sua rede, você pode repeti-lo ou criar posts similares. Mas, lembre-se: tendências mudam, então é importante sempre verificar se aquele tipo de publicação mantém um alto índice de engajamento ao longo do tempo, ou se é necessário investir em outros formatos.

PUBLICAÇÕES COM ALTO ÍNDICE DE ENGAJAMENTO

Pense bem: quais tipos de publicação você costuma curtir mais nas redes sociais? Citações? Talvez perguntas ou posts com "calls to action" (em português, links que levam o seguidor a realizar uma ação)? Ah, memes com certeza! Pois é, há alguns tipos de publicação que tendem a performar melhor e apresentar bons índices de engajamento, e você pode apostar nestes formatos para mesclar com outros conteúdos do seu calendário editorial, independentemente do segmento do seu negócio.

CONHEÇA 8 TIPOS DE PUBLICAÇÃO COM ALTO ÍNDICE DE ENGAJAMENTO:

1 MEMES

O que seria da internet hoje sem os memes? Em todas as redes sociais – até no LinkedIn – você verá memes divertidos e criativos, que são geralmente conteúdos virais engraçados que são compartilhados e recriados infinitamente. Para interagir com o público e demonstrar que está atento às tendências, você pode aproveitar os memes que são tendência e convidar os seguidores a comentar a respeito, ou fazer sua paródia do meme com algo relacionado à sua marca ou produto.

2 CITAÇÕES

Posts com citações de letras de música e frases de pessoas famosas (e até autores desconhecidos) costumam gerar alto índice de engajamento, porque as pessoas tendem a marcar pessoas ou repostar em sua própria rede, ao se identificarem com o que está escrito.

3 LISTAS

Listas são campeãs de visualizações em sites em geral, e nós podemos aproveitar este recurso nas redes sociais também. Você pode fazer uma combinação de dicas e listas. Quando colocamos uma lista com um número específico de itens, as pessoas tendem a ser atraídas para a leitura, que parece rápida e fácil.

4 DICAS

Isso pode variar de acordo com o segmento do negócio, mas de maneira geral as pessoas gostam de ver dicas na internet. Você pode criar publicações com ideias que sejam relevantes para o seu público ou mercado, por exemplo: uma marca de produtos de limpeza pode publicar dicas de limpeza com seus produtos; uma escola pode publicar dicas sobre educação dos filhos em casa; um médico dermatologista pode postar dicas de cuidados com a pele etc.

5 FOTOS E VÍDEOS

Não é necessário dizer que a estética é superimportante nas redes sociais (temos, inclusive, um capítulo deste Guia dedicado ao tópico. Veja na página 82), mas vale reforçar aqui que publicações com fotos e vídeos tendem a performar acima da média, especialmente os vídeos.

6 DEIXE SEU CORRETOR COMPLETAR A FRASE

Você já viu essas brincadeiras em que a página publica uma frase e convida os seguidores a deixarem o corretor ortográfico do celular completá-la? Esse tipo de publicação costuma ser divertido e gerar engajamento, pois as pessoas se sentem atraídas a realizar a brincadeira, deixando as suas frases nos comentários ou ainda compartilhando a publicação em seu próprio perfil.

7 LEGENDA PARA A IMAGEM

Você deve ter reparado que muitas dicas envolvem convidar os seguidores a interagirem com a sua página, não é? Pois é, aqui vai mais uma: você pode publicar fotos que tenham a ver com sua marca ou seu segmento e pedir que os usuários adicionem legendas. Dessa forma, diversas pessoas vão comentar em seu post, o que gerará maior alcance.

8 MARQUE ALGUÉM

O último item da nossa listinha de tipos de publicação com alto índice de engajamento vale para muitos dos outros que já comentamos. Além de convidar seus seguidores a responderem perguntas ou participarem de uma brincadeira, você pode incentivá-los a marcarem amigos que se identificariam com a publicação. Dessa forma, aumenta o engajamento do post em si e ainda abre a possibilidade de mais pessoas conhecerem a sua marca e passarem a seguir a sua página.

MANUAL DE POSTAGENS NO FACEBOOK

APOSTE EM...

• Ter consistência e frequência de publicações

• Ter identidade visual própria da marca

• Publicar conteúdos próprios

• Compartilhar conteúdos de outras fontes que sejam relevantes para o seu público e oriundos de fontes confiáveis

• Dialogar com o público e realizar publicações convidando-o a interagir

• Conhecer o seu público e o que é relevante para ele

• Seguir as tendências e participar das conversas do momento

• Adicionar "calls to action" nas publicações

• Investir em anúncios

• Avaliar a performance dos posts para aprimorar sua estratégia e calendário de postagens

• Repetir posts que desempenharam bem

EVITE!

- Deixar de responder os comentários ou mensagens diretas dos seus seguidores
- Publicar conteúdos ofensivos e discriminatórios
- Publicar esporadicamente e sem planejamento
- Usar imagens de outras fontes sem créditos (utilize apps e bancos de imagem gratuitos)
- Publicar imagens e vídeos sem a identidade visual da sua marca
- Falar mal da concorrência
- Falar apenas e exclusivamente da sua marca, em vez de se engajar em temas relevantes para o seu público
- Apagar comentários negativos, em vez de respondê-los de forma educada e atenciosa
- Usar a página da sua marca como se fosse o seu perfil pessoal
- Publicar informações falsas sobre o seu negócio ou seu produto
- Realizar concursos ou sorteios que não estejam de acordo com a Lei 5.768
- Compartilhar conteúdos de fontes não confiáveis

APENAS 24 HORAS: COMO USAR A FERRAMENTA DE STORY

O Facebook story foi lançado em 2017 na plataforma (sendo que já estava disponível anteriormente no Instagram, WhatsApp e Messenger) e é um aliado importante para as empresas que querem estar próximas do público. Nesta opção, você pode publicar uma foto ou vídeo que irá sumir depois de 24 horas. O Facebook também oferece a função de anúncio no story.

POR QUE AS EMPRESAS DEVEM INVESTIR EM CONTEÚDO PARA O STORY? CONHEÇA ALGUNS MOTIVOS!

- É um recurso importante para empresas interagirem com o público de forma rápida e informal, e em geral exige menos trabalho na edição de imagens e vídeos, que podem ser mais simples.
- A visualização do story é sempre em tela cheia, então, quando o usuário do Facebook está vendo a publicação, o seu conteúdo não está "concorrendo" com outros elementos na página.
- Os usuários podem rapidamente responder ou reagir à publicação.
- Este recurso permite adicionar links e até anúncios.
- É possível verificar os usuários que visualizaram seu story.
- A ferramenta é muito útil para promoções. Por exemplo: você pode oferecer descontos exclusivos para quem visualizar seu story.
- Você pode usar este recurso para compartilhar comentários e avaliações positivas dos seus clientes e seguidores.
- O story pode ser ótimo para "testar" conteúdos ou campanhas com o público. Assim, caso apresente bom desempenho, você pode apostar na publicação no feed.

1 Para criar um story é muito simples: basta clicar no ícone "Criar story".

2 Conheça os recursos disponíveis para turbinar seu story.

3 **Texto:** Você pode adicionar textos com diferentes formatações. É bacana manter uma mesma fonte em todos os seus posts no story, de forma a criar uma unidade de marca.

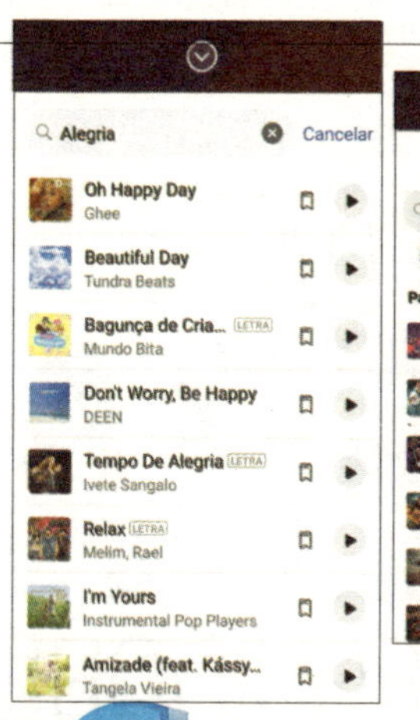

4 **Música:** Busque músicas ou áudios que estejam alinhados com o conteúdo do seu post.

5 **Foto:** Você também pode publicar uma foto que esteja na sua galeria.

6 **Boomerang:** Este recurso, muito popular no Instagram, permite criar um vídeo curto com uma ação em repetição.

7 **Selfie:** O story possui uma câmera própria e filtros e efeitos divertidos.

8 **Enquete:** Este é um recurso muito interessante que você pode usar para interagir com o seu público e ter engajamento.

O BÊ-Á-BÁ DA INTERAÇÃO COM OS SEGUIDORES

POR BÁRBARA RONCADA | IMAGENS: SHUTTERSTOCK

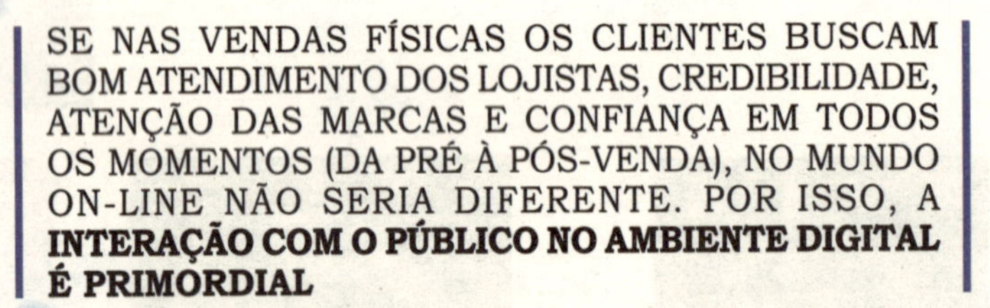

SE NAS VENDAS FÍSICAS OS CLIENTES BUSCAM BOM ATENDIMENTO DOS LOJISTAS, CREDIBILIDADE, ATENÇÃO DAS MARCAS E CONFIANÇA EM TODOS OS MOMENTOS (DA PRÉ À PÓS-VENDA), NO MUNDO ON-LINE NÃO SERIA DIFERENTE. POR ISSO, A **INTERAÇÃO COM O PÚBLICO NO AMBIENTE DIGITAL É PRIMORDIAL**

Enquanto algumas marcas são campeãs no quesito interação com os seguidores nas redes sociais, outras perdem muitas oportunidades. Mas, qualquer tipo de interação com o público tem efeitos positivos e pode atrair mais clientes? Não exatamente. Assim como existem boas práticas na hora de criar páginas e conteúdos, também existem algumas regrinhas de ouro para a interação com o público na internet, como manter a cordialidade, mostrar-se presente e atento às necessidades dos clientes e também estar atento ao que é tendência.

Se você está começando agora a sua estratégia digital, garantir uma boa interação com o público pode parecer um pouco complexo, mas não é. Para saber mais sobre o assunto, acompanhe as nossas dicas nas próximas páginas!

DEFINA O TOM DE VOZ DA SUA MARCA

Antes mesmo de começar a sua estratégia digital, você precisa ter a clareza de qual é o tom de voz da sua marca, ou seja, como você se posiciona (dentro e fora da internet), se a sua comunicação é mais formal ou informal, quais são os assuntos que a sua marca pode e não pode abordar. A definição do tom de voz da marca deve ser resultado de uma junção entre a missão e os objetivos da marca com o tipo de comunicação ou tom de voz do público-alvo. Não é necessário dizer que, para isso, é essencial conhecer bem o seu público!

SEJA EDUCADO E CORDIAL

Hoje em dia, as redes sociais estão repletas de comentários desagradáveis, discriminatórios, discussões entre usuários das redes e uma série de conteúdos inapropriados. Tudo o que o cliente não quer é que a marca que ele gosta e segue o trate de forma não cordial, não é verdade?

Pois bem, aposte na boa e velha educação para falar com todos os clientes, inclusive aqueles que estiverem fazendo comentários negativos sobre a sua marca ou produto.

RESPONDA RÁPIDO

Você já deve ter visto um selinho "Responde rápido" nas páginas das marcas no Facebook, e não é sem motivo que ele está ali. Uma das regrinhas de ouro na estratégia de interação com o público nas redes sociais é justamente a agilidade na resposta. O cliente gosta de ter a atenção da marca, quer ser ouvido e, principalmente, deseja obter retorno rápido e eficiente. Por isso, é essencial responder a todos os comentários e menções, sejam eles positivos ou negativos.

ATENTE-SE AO QUE SEUS SEGUIDORES – E O PÚBLICO EM GERAL – FALA SOBRE A SUA MARCA NAS DIFERENTES PLATAFORMAS

E por falar em responder para os seus seguidores, é importante estar atento às diferentes plataformas onde os clientes podem estar falando com você, para poder responder a todos.

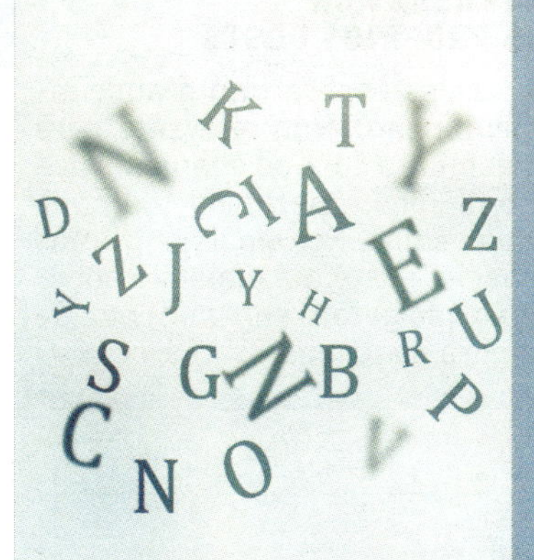

FAÇA O USO CORRETO DA LÍNGUA PORTUGUESA E, AO MESMO TEMPO, UTILIZE TERMOS COMUNS DO VOCABULÁRIO DA INTERNET

Você pode até não acreditar, mas há diversos casos em que as marcas cometeram deslizes com a nossa boa e velha língua portuguesa em peças na internet, e isso é realmente um erro básico. Portanto, vale lembrar que é imprescindível escrever bons textos, sempre seguindo as normas gramaticais. Mas isso não quer dizer que você não pode utilizar os termos mais falados pelo público na internet. Muito pelo contrário! A receitinha é estar atento ao tipo de comunicação do público e garantir que você está falando "o mesmo idioma que eles", mas sem cometer erros de português.

NÃO DISCUTA COM OS INTERNAUTAS!

Essa sexta dica é tão importante que poderia ser até a primeira: não discuta com as pessoas nas redes sociais. Ainda que alguém esteja sendo descortês e publicando comentários desagradáveis e inapropriados, as marcas devem responder de forma educada e, na medida do possível, até oferecer soluções caso o internauta esteja enfrentando algum problema específico.

RESPONDA DE FORMA AUTÊNTICA, BEM-HUMORADA E CRIATIVA

Criatividade é tudo na internet, então aposte nela para interagir com o seu público! Vale usar memes, utilizar expressões que são tendência nas redes, apostar em diferentes formatos de resposta (texto, imagem e vídeo) e certamente usar os famosos emojis. Quando as marcas falam diretamente com o público de forma autêntica e criativa, é mais fácil criar identificação e querer manter um diálogo on-line.

ENGAJE EM DISCUSSÕES QUE SÃO RELEVANTES PARA A SUA MARCA

Encontrou um comentário interessante sobre o seu setor, mas que não estava mencionando a sua marca? Percebeu que há um determinado assunto muito comentado nas redes nos últimos dias que está super-relacionado com o seu negócio ou produto? Engaje na discussão!
Você pode usar a sua marca para se posicionar em relação a um tema específico do momento e também responder a comentários de usuários influenciadores de forma a chamar atenção para algo que é interessante para a sua marca.

PROMOVA CONVERSAS POR MEIO DOS SEUS PRÓPRIOS POSTS

Claro, você não precisa esperar um grande influenciador comentar um tema relevante para tentar criar engajamento com os clientes. Você pode promover o diálogo a partir do conteúdo que publica na sua página. Por sinal, já fizemos uma matéria especial neste guia falando sobre tipos de publicação que geram engajamento. Se ainda não viu, confira na página 28.

APROVEITE AS OPORTUNIDADES DE INTERAÇÃO PARA REALIZAR UMA "CHAMADA PARA AÇÃO"

Uma estratégia muito legal de interação com o público é utilizar momentos e comentários estratégicos para oferecer uma "chamada para ação" (*Call to Action*, em inglês). Por exemplo: se um cliente está elogiando um produto da sua marca, que tal convidá-lo a visitar a página de outro produto que talvez possa interessá-lo? Ou, ainda, que tal oferecer algum desconto, cupom ou benefício para os clientes que interagirem em um post específico?

PROCURE SEMPRE RESOLVER O PROBLEMA DO CLIENTE

Muitos clientes procuram as redes sociais para relatar problemas com as marcas e pedir ajuda. Nestes momentos, é primordial demonstrar que você está preocupado em oferecer soluções o mais rápido possível. Você pode tanto resolver os problemas de forma pública, nos comentários das redes, ou convidar o cliente para uma conversa em chat privado, e-mail, telefone ou outra forma de contato.
O importante é garantir que ele saiba que você está disposto a resolver os problemas, e que isso seja visível para outros possíveis clientes.

QUANDO FIZER UM POST COM O OBJETIVO DE GERAR ENGAJAMENTO, ESTEJA ATENTO AOS COMENTÁRIOS E À REPERCUSSÃO

Cada post, cada anúncio, cada mensagem e cada comentário divulgado na internet deve ser planejado com atenção, e você deve acompanhar a performance do conteúdo para entender o comportamento do público em relação ao que foi publicado. Então, sempre que fizer um post com o objetivo de gerar engajamento, ou, ainda, quando responder a comentários relevantes dos seguidores, acompanhe a repercussão para entender se ainda deve seguir o diálogo ou não.

NÃO "ABANDONE" O CLIENTE SEM QUE A CONVERSA TENHA ACABADO

Este tema está um pouco relacionado com o item em que falamos sobre acompanhar a repercussão das suas publicações. Como já comentamos, o cliente espera das marcas atenção, cordialidade e confiança. Portanto, você não pode deixar de responder a alguma conversa com um cliente – seja em chats privados ou em grandes fóruns –, a não ser que esteja claro que o diálogo já foi concluído. Pior do que um cliente que se sente ignorado por uma marca é um cliente que se sentiu abandonado no meio da interação.

APRENDA COM OS COMENTÁRIOS SOBRE A SUA MARCA

Mais do que tudo, a interação com o público pode ensinar muitas coisas importantes sobre as marcas, por isso é preciso estar atento ao que os clientes falam sobre a sua empresa. Você pode descobrir se os clientes aprovam o produto, o atendimento, o seu site e outros aspectos do negócio, e pode usar estes "feedbacks indiretos" para aprimorar a sua estratégia.

ENTREVISTA COM A ESPECIALISTA: CAMILA PORTO

(WWW.FACEBOOK.COM/CAMILAPORTO.COM.BR)

Com mais de 486 mil seguidores no Facebook, Camila Porto é uma das maiores especialistas em Facebook no Brasil

POR CAROLINA SALOMÃO

Camila Porto

Coleção Marketing Online: Camila, vou começar com uma questão muito frequente entre as pessoas que estão começando hoje no digital: ainda vale a pena investir em anúncios e produzir conteúdo no Facebook, em comparação com o Instagram?

Camila Porto: As decisões precisam ser tomadas com dados, não com "achismos". A impressão de que o Facebook não funciona deve ser comprovada com dados e maturidade. Não adianta fazer uma comunicação capenga no Facebook e achar que os resultados serão bons. Hoje a competição é muito maior e só cumprir tabela não funciona. É possível que alguns nichos se deem melhor no Instagram, mas abandonar uma plataforma do tamanho e relevância do Facebook sem realmente ter certeza é perder muitas oportunidades.

CMO: Atualmente, qual é a maior diferença entre o Facebook Marketing e o marketing que ocorre no Instagram?

CP: A base de uma estratégia de conteúdo não muda de uma plataforma para outra. O que muda é o formato do conteúdo. Como o Instagram tem recursos que o Facebook não tem, inseri-los na estratégia é bem importante. Porém, a fórmula, relevância, engajamento e informação precisam estar presentes em qualquer canal.

CMO: Outra pergunta campeã é se você acha possível crescer no digital de forma totalmente orgânica, ou se atualmente quem faz anúncios (tanto no Facebook quanto no Instagram) "sai na frente"?

CP: Sem dúvidas, quem anuncia sai na frente. Uso a metáfora da gasolina, que ela é o combustível para você chegar aonde quer mais rápido. Sem ela, você pode chegar, mas vai demorar muito mais. Alguns nichos podem se dar bem no orgânico, mas eles já envolvem temas mais focados em memes, entretenimento e piadas. É difícil um negócio tradicional conseguir ter resultados consistentes apenas no orgânico. Não é impossível, mas já vejo como mais complexo em nichos normais.

CMO: Quais são os principais passos para quem já tem um negócio e quer começar a anunciar no Facebook?

CP: Conhecer seu público, saber quais são as maiores dores, dificuldades, dúvidas ou benefícios que seu produto ou serviço oferece ou pode resolver. Separar uma verba para investir que não cause muitos danos se não der certo da primeira vez. Uma verba para arriscar, investir e aprender. Depois, usar essa verba e esses anúncios para levar essas informações ao seu cliente em potencial. Neste sentido, os anúncios vão permitir que você chegue ao seu cliente de forma mais rápida e com os recursos de segmentação mais direcionada.

CMO: De uma forma geral, quais são os maiores erros de quem teve anúncios no Facebook que não deram resultado?

CP: Não ter clareza do público que quer atingir; não entender que cada cliente tem um nível de conhecimento diferente sobre o produto ou serviço; e não fazer a informação correta chegar até ele. Além disso, há pessoas que não destinam um tempo para aprender o básico da ferramenta de anúncios. Saem adicionando interesses, públicos e segmentações na expectativa de que o Facebook faça milagre e encontre seus clientes. Infelizmente, não é tão simples assim.

CMO: A formação de grupos e comunidades no Facebook é algo muito utilizado pelos experts para comunicação com a audiência, principalmente com os alunos. Como você aproveitaria esse espaço para conseguir os primeiros trabalhos no marketing digital?

CP: Gerando valor para a comunidade, certamente você será visto como uma autoridade, alguém que sabe o que está falando. Responder dúvidas, ajudar com conteúdos relevantes. Isso para quem quer atuar neste mercado é bem importante. Se posicionar como uma autoridade e gerar valor para a comunidade é uma ótima forma de abrir muitas portas.

CMO: Você acha que esse sentimento de tribo/comunidade é essencial para um negócio digital? Como construí-lo?

CP: Esse efeito comunidade pode ser mais ou menos importante de acordo com o modelo. Há negócios que podem se beneficiar, especialmente do boca a boca gerado a partir de uma boa experiência dos clientes. Agora, há empresas e negócios que não buscam isso, querem apenas atender às demandas do cliente sem gerar essa tribo. Vai muito do modelo de negócio e da visão de como a empresa quer manter o relacionamento com seus clientes.

CMO: Curiosidades: quais são as suas ferramentas favoritas de trabalho no digital e qual é o livro que, na sua opinião, ajudaria muito um iniciante a entender sobre marketing no Facebook?

CP: Minhas ferramentas favoritas são o Estúdio de Criação, Trello e Canva. Sobre livro, o meu livro [*Facebook Marketing* – Camila Porto] é um ótimo ponto de partida sobre o assunto.

ATINJA SEUS ALVOS!

POR BÁRBARA RONCADA | IMAGENS: SHUTTERSTOCK

A PÁGINA DO SEU NEGÓCIO NO FACEBOOK ESTÁ PRONTA, E VOCÊ JÁ APRENDEU DICAS VALIOSAS DE COMO **CRIAR CONTEÚDO E INTERAGIR COM O PÚBLICO**. AGORA, CHEGOU A HORA DE FALAR SOBRE OS FAMOSOS ANÚNCIOS!

Se o seu objetivo é fazer negócios pelo Facebook, como vender produtos e serviços e gerar visibilidade para a sua marca, é imprescindível programar anúncios para que o seus conteúdos alcancem o público certo, no momento e da forma corretos.

Uma das grandes vantagens de utilizar o recurso de anúncios do Facebook é a versatilidade e a variedade de formatos disponíveis, permitindo que você encontre sempre a melhor opção para alcançar os objetivos específicos de cada ação. Como já falamos anteriormente, outra vantagem do marketing digital no Facebook é a facilidade em testar diferentes métodos de forma rápida e com baixo investimento.

Veja a seguir tudo o que você precisa saber sobre como escolher o melhor formato de anúncio, como definir os anúncios e quais são as vantagens de utilizar este recurso na sua estratégia de marketing digital na rede social.

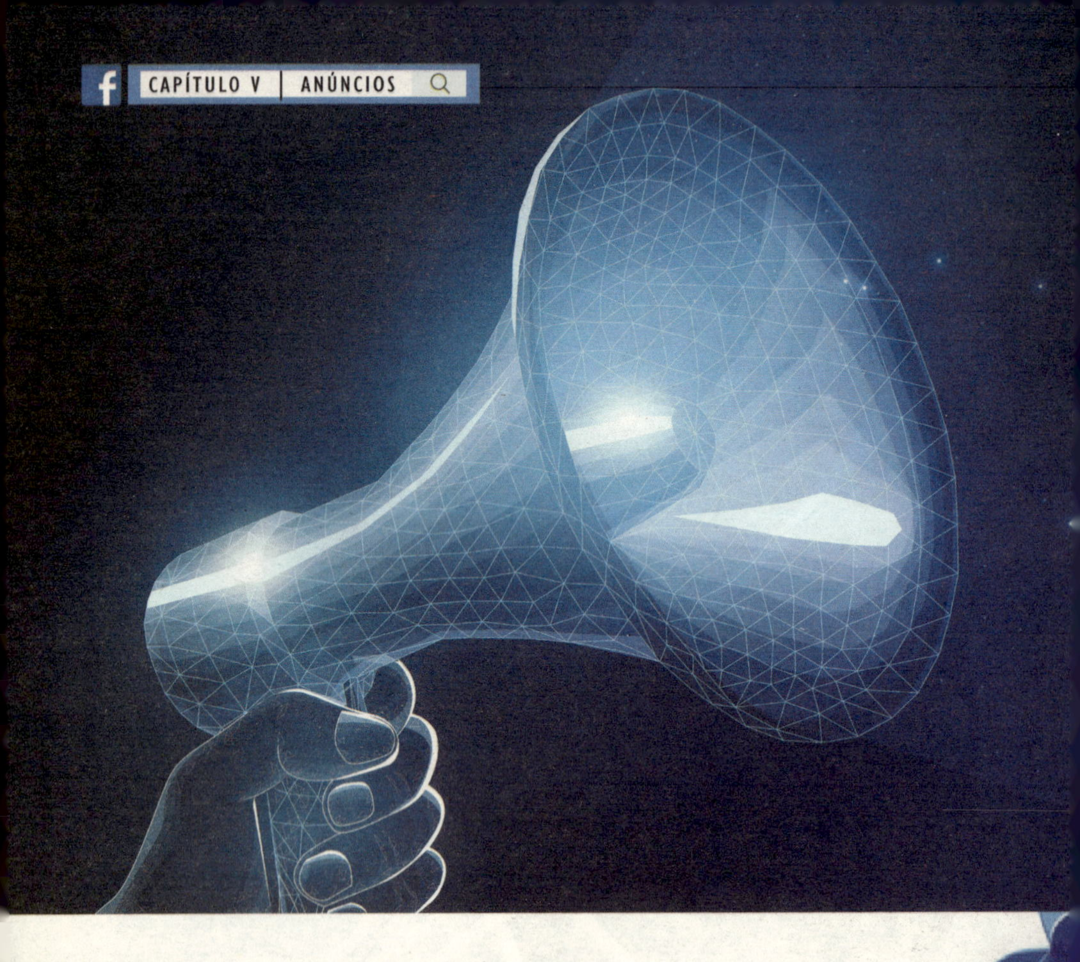

COMO CRIAR UM ANÚNCIO

O Facebook possui uma plataforma própria para criar e gerenciar anúncios no app e nas redes associadas, como Instagram, Messenger e Audience Network. Para criar um anúncio, então, é necessário recorrer ao Facebook Ads Manager, ou Gerenciador de Anúncios.

ANTES DE VERMOS O PASSO A PASSO DA CRIAÇÃO DE UM ANÚNCIO, TEMOS ALGUNS LEMBRETES IMPORTANTES:

- Para utilizar o Gerenciador de Anúncios, é necessário ter um perfil cadastrado no Facebook.

- Para criar um anúncio utilizando o Gerenciador de Anúncios, é necessário ter uma Página ou ser administrador de uma Página. Se quiser designar alguém que trabalha com você para realizar os anúncios do seu negócio, você deve conceder acesso de administrador da página.

- Você deverá inserir uma forma de pagamento válida no Gerenciador de Anúncios (cartão de crédito ou PayPal).

1

Acesse o Gerenciador de Anúncios em: **https://www.facebook.com/business/tools/ads-manager**

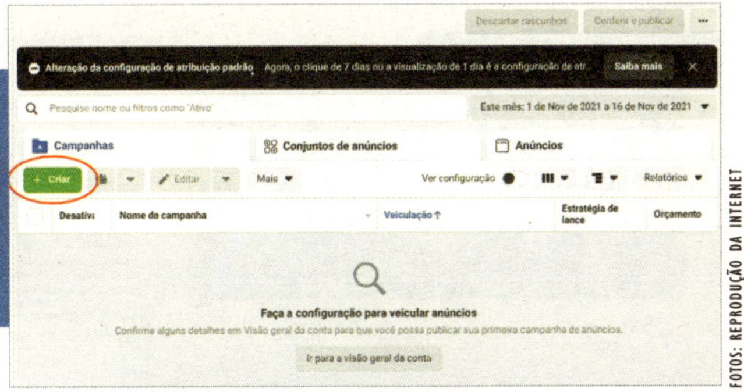

FOTOS: REPRODUÇÃO DA INTERNET

2

Se este for o primeiro anúncio no seu Gerenciador, você deverá criar uma Campanha, onde poderá incluir um conjunto de anúncios. Se você já tiver outras campanhas criadas e quiser usar uma delas basta clicar em "Usar campanha existente". Neste caso, vamos criar um anúncio. Então, clique no botão "Criar nova campanha".

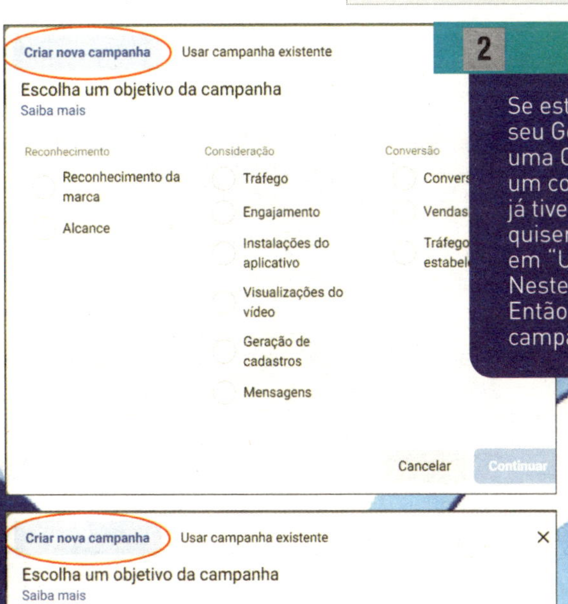

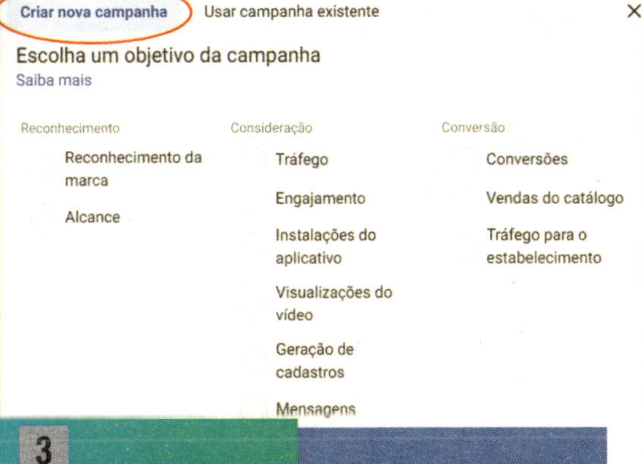

3

Escolha o objetivo da sua campanha, entre as opções listadas nas seguintes etapas do marketing nas redes sociais: Reconhecimento, Consideração ou Conversão. Para saber mais, vá até a página 50. Após selecionar o seu objetivo, clique em "Continuar".

Nome da campanha

Nova campanha de Tráfego — Criar modelo

Categorias de anúncio especial

Você precisa declarar se seus anúncios estão relacionados a temas sociais, eleições ou política. Saiba mais

Nenhuma categoria declarada

Detalhes da campanha

Tipo de compra

Leilão

Objetivo da campanha

Tráfego

Mostrar mais opções

Teste A/B

Teste campanhas, conjuntos de anúncios e anúncios entre si para entender quais estratégias geram os melhores resultados. Seu alcance potencial será dividido entre eles para obter resultados mais precisos. Saiba mais

A criação do teste A/B mudou

Agora você concluirá a configuração do teste A/B depois de publicar a sua campanha. Após publicar, selecione uma variável e crie novas versões para comparar com a original.

Começar

4

Nesta etapa, você vai informar alguns detalhes da campanha que pretende criar.

Tráfego

Escolha onde você quer gerar tráfego. Mais detalhes sobre o destino serão inseridos posteriormente.

- Site
- Aplicativo
  Escolha o aplicativo que você deseja anunciar. Você pode anunciar qualquer aplicativo que tenha registrado no site de desenvolvedores do Facebook. Obter ajuda para anúncios de instalação do aplicativo
- Messenger
  Direcione as pessoas dos anúncios para conversas do Messenger com a sua empresa. Seu anúncio será exibido para as pessoas com mais probabilidade de abrir o Messenger
- WhatsApp
  Quando alguém clicar no seu anúncio, um tópico de mensagem com a sua empresa será aberto no WhatsApp. Seu anúncio será mostrado a pessoas com maior probabilidade de enviar mensagens para você no WhatsApp.
- Ligação telefônica
  Quando alguém tocar no seu anúncio, poderá ligar para a sua empresa. Seu anúncio será exibido para pessoas com maior probabilidade de ligar para você.

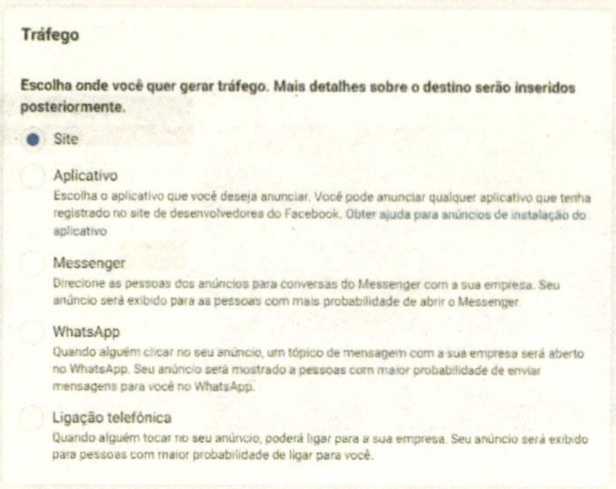

FOTOS: REPRODUÇÃO DA INTERNET

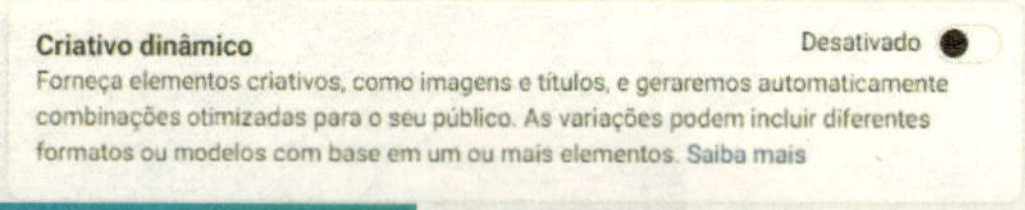

5

Neste momento, você deve determinar para onde deseja direcionar os usuários por meio do anúncio (site, aplicativo, Messenger, WhatsApp ou ligação telefônica).

Criativo dinâmico Desativado

Forneça elementos criativos, como imagens e títulos, e geraremos automaticamente combinações otimizadas para o seu público. As variações podem incluir diferentes formatos ou modelos com base em um ou mais elementos. Saiba mais

6

Se desejar, habilite o "Criativo dinâmico". A ferramenta é indicada quando você não sabe ao certo qual criativo será relevante para públicos diferentes.

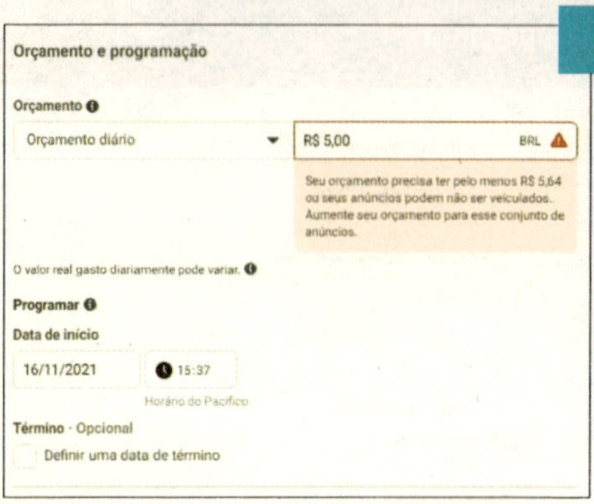

Orçamento e programação

Orçamento

Orçamento diário | R$ 5,00 BRL

Seu orçamento precisa ter pelo menos R$ 5,64 ou seus anúncios podem não ser veiculados. Aumente seu orçamento para esse conjunto de anúncios.

O valor real gasto diariamente pode variar.

Programar

Data de início

16/11/2021 15:37

Horário do Pacífico

Término · Opcional

Definir uma data de término

7

Defina o orçamento da campanha, que pode ser diário (exemplo: R$ 5 por dia, em média) ou total (exemplo: R$ 500 durante toda a veiculação do anúncio). Especifique também a duração do seu anúncio, com uma data de início e de término.

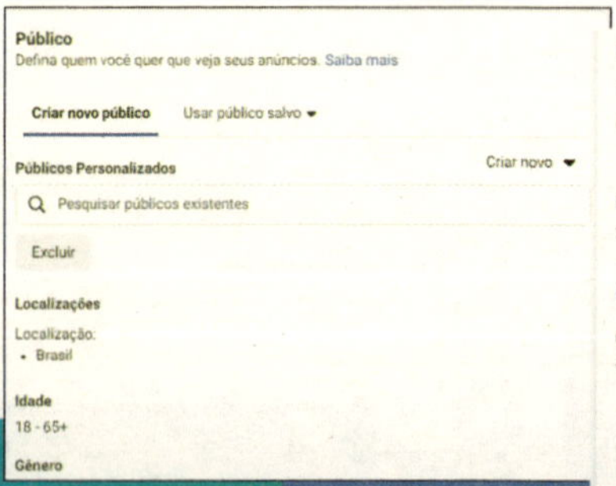

Público

Defina quem você quer que veja seus anúncios. Saiba mais

Criar novo público | Usar público salvo

Públicos Personalizados Criar novo

Pesquisar públicos existentes

Excluir

Localizações

Localização:
- Brasil

Idade

18 - 65+

Gênero

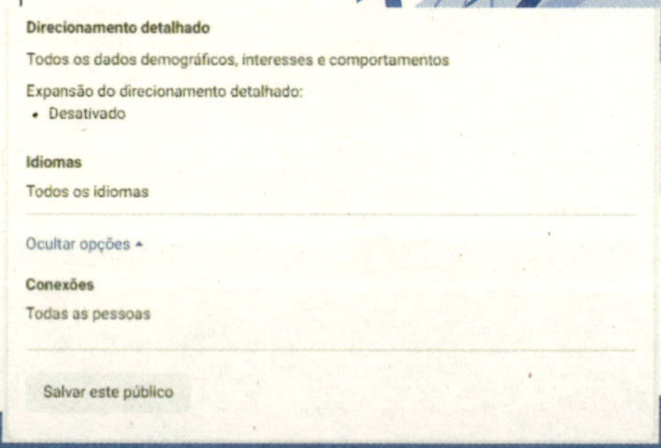

Direcionamento detalhado

Todos os dados demográficos, interesses e comportamentos

Expansão do direcionamento detalhado:
- Desativado

Idiomas

Todos os idiomas

Ocultar opções

Conexões

Todas as pessoas

Salvar este público

8

Chegamos a um momento superimportante da criação da campanha: a definição do público-alvo. Nesta etapa, você poderá definir de forma bastante granular para quem gostaria de veicular o seu anúncio: idade, critérios demográficos e comportamentais, bem como hábitos de navegação. Dica: conforme definir a audiência, você poderá salvar a opção para utilizar novamente em próximas campanhas.

Posicionamentos | Saiba mais

Posicionamentos automáticos (recomendado)
Use posicionamentos automáticos para maximizar o orçamento e ajudar a mostrar seus anúncios para mais pessoas. O sistema de veiculação do Facebook alocará o orçamento do seu conjunto de anúncios em vários posicionamentos, considerando onde for mais provável ter um desempenho melhor.

Posicionamentos manuais
Escolha manualmente os lugares para mostrar seu anúncio. Quanto mais posicionamentos você selecionar, mais oportunidades terá para alcançar seu público-alvo e atingir suas metas de negócios.

Mostrar mais opções

9

Calma, estamos quase lá! Chegou o momento de definir onde seu anúncio será veiculado – no Facebook, no Instagram, no Messenger ou no Audience Network. Uma boa dica para quem está começando a anunciar no Facebook é utilizar a opção "Posicionamento automático", na qual o algoritmo irá direcionar seu anúncio para a plataforma onde está o seu público em cada momento, fazendo o melhor uso do seu orçamento.

Otimização e veiculação

Otimização para veiculação de anúncio

Cliques no link

Controle de custo (opcional)

R$ X,XX

O Facebook buscará usar todo o seu orçamento e obter o máximo de cliques no link usando a estratégia de lance de menor custo. Se quiser definir um controle de custo, insira um valor.

Ocultar opções

Quando a cobrança será feita
Impressão

Tipo de veiculação
Padrão

10

O Facebook oferece algumas opções de otimização do orçamento da campanha de forma a obter os melhores resultados de acordo com a opção escolhida. Ao clicar em "Cliques no link", você deverá escolher o parâmetro de otimização:

- **Visualizações da página de destino:** Veiculação do anúncio para usuários com maior probabilidade de navegar no site indicado no anúncio.
- **Cliques no link:** Veiculação do anúncio para usuários com maior probabilidade de clicar no link indicado no anúncio.
- **Impressões:** Veiculação do anúncio para os mesmos usuários do seu público predefinido o maior número de vezes possível.
- **Alcance único diário**: Opostamente, veiculação do anúncio para o usuário apenas uma vez por dia.

11

Até aqui, estávamos montando uma campanha de anúncios. Agora chegou o momento de criar uma peça mesmo para veicular. Primeiro, você deve definir o nome do anúncio e identificar a página para a qual será criado o anúncio.

Nome do anúncio

Novo anúncio de Tráfego | Criar modelo

Identidade

Página do Facebook

Alegria Alegria

Conta do Instagram

Usar a Página selecionada ou Conectar conta

FOTOS: REPRODUÇÃO DA INTERNET

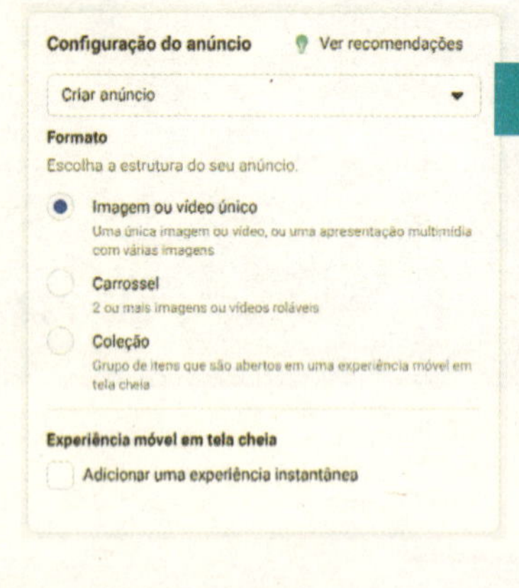

12

Nesta etapa, você vai definir a imagem ou o vídeo que deseja utilizar. Depois, deve selecionar se será a opção "Imagem ou vídeo único", -"Carrossel" ou "Coleção".

Criativo do anúncio

Selecione a mídia, o texto e o destino do seu anúncio. Você também pode personalizar a mídia e o texto para cada posicionamento. Saiba mais

Mídia

Adicionar mídia | Criar vídeo

Texto principal

Informe às pessoas sobre o que é o seu anúncio

Título

Converse conosco

Descrição · Opcional

Inclua detalhes adicionais

13

No "Criativo do anúncio", você deve definir o texto, título e, se preferir, a descrição do produto/serviço anunciado.

Otimizar texto por pessoa

Desativado

Destino

Site

Evento do Facebook

URL do site

http://www.example.com/page

Preencha o campo "URL do site" do seu anúncio.

Criar um parâmetro de URL

Link de exibição · Opcional

Insira o link que você deseja mostrar no seu anúncio

Extensão para ligação

Mostrar extensão para ligação no seu site

Chamada para ação

Saiba mais

14

Aqui, você vai incluir as informações sobre o site ou evento para o qual o anúncio será direcionado. Também vai acrescentar o botão de "call to action" que irá acompanhar a peça e montar de fato o seu anúncio.

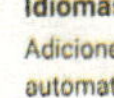

Idiomas

Adicione suas próprias traduções ou traduza automaticamente seu anúncio para alcançar pessoas em mais idiomas. Saiba mais

Adicionar idiomas

15

Se desejar alcançar pessoas em outros idiomas, você pode traduzir ou selecionar a tradução automática do seu anúncio.

Rastreamento

Rastreie conjuntos de dados de evento que contenham as conversões que seu anúncio pode motivar. O conjunto de dados que contiver a conversão selecionada para a conta de anúncios será rastreado por padrão.

Ver atualiza

Eventos do site Configurar

Eventos do aplicativo Configurar

Eventos offline

Parâmetros de URL · Opcional

key1=value1&key2=value2

Criar um parâmetro de URL

16

No rastreamento de conversões, você pode criar regras de rastreamento de eventos realizados em seu site e utilizar as informações para a otimização dos anúncios. Por exemplo: rastrear compras realizadas por clientes em páginas cujo link tem uma palavra-chave específica, como "camiseta". Ao rastrear os dados, o Facebook irá mostrar os anúncios aos usuários mais propensos a repetir a compra do produto em um link que contenha a palavra "camiseta".

Ao clicar em "Publicar", você concorda com os Termos e Diretrizes de Publicidade do Facebook.

Fechar ✓ Todas as edições salvas Voltar Publicar

17

Após definir tudo, seu anúncio pronto! É só clicar em "Publicar".

Adicionar informações de pagamento

Localização e moeda

País/região: Brasil

Moeda: Real brasileiro

Fuso horário: (GMT -08:00) Horário do Pacífico

Sua localização e moeda não podem ser alteradas após a configuração.

Fechar Avançar

18

Agora, você deve selecionar a sua localização e moeda. Atenção na hora de preencher, pois esses dados não podem ser alterados.

Adicionar informações de pagamento

Informações fiscais e da empresa

Adicionar informações da empresa

Adicionar forma de pagamento

Cartão de crédito ou débito

PayPal

Boleto Bancario

Eu tenho um crédito para anúncio.

Suas formas de pagamento são salvas e armazenadas de forma segura.
Os termos se aplicam

Voltar Avançar

19

Por último, você deve definir uma forma de pagamento válida (cartão de crédito ou PayPal) e concluir o processo. O Facebook irá analisar a solicitação e, se estiver tudo correto, irá iniciar a veiculação do anúncio. **Importante:** Depois disso, você deve gerenciar o seu anúncio e acompanhar os resultados. Falaremos disso no capítulo sobre análise de desempenho das campanhas (veja página 56).

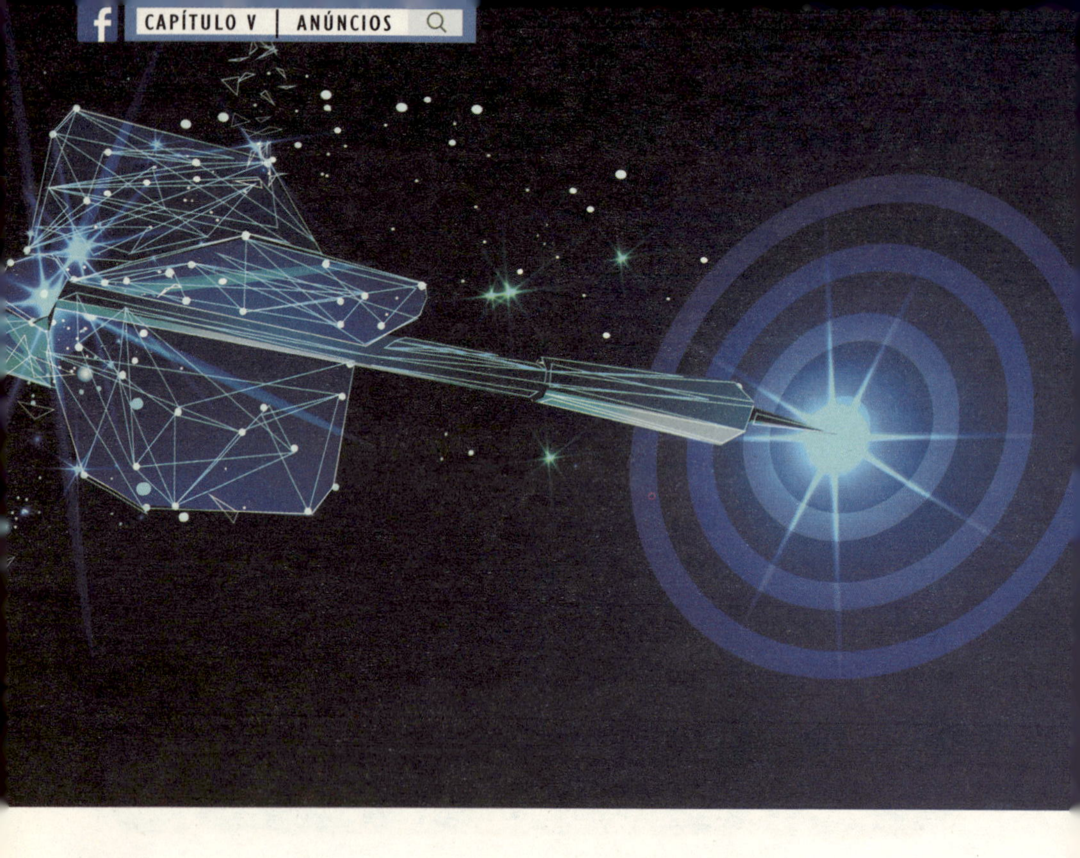

OBJETIVOS DA CAMPANHA DE ANÚNCIOS

Ao criar uma nova campanha de anúncios, a plataforma irá pedir que você indique o objetivo da campanha. Dessa forma, pode oferecer os melhores formatos de anúncio e indicar as métricas relevantes de acordo com as metas. Os objetivos têm a ver com a etapa da estratégia que você está querendo conduzir: reconhecimento da marca, que aumenta a visibilidade da marca; consideração, ou seja, garantir que o cliente pense na sua marca em um momento de decisão de compra; e, finalmente, conversão.

Vamos rapidamente entender as diferenças de cada objetivo de campanha?

RECONHECIMENTO

- **Reconhecimento de marca:** Como o próprio nome já diz, nesta categoria o objetivo do anúncio/da campanha é dar mais visibilidade à sua marca para os perfis das pessoas mais propensas a prestarem atenção no conteúdo do anúncio.

- **Alcance:** Com o mesmo objetivo de aumentar a visibilidade da marca, nesta categoria o anúncio é divulgado para o maior número possível de usuários.

CONSIDERAÇÃO

• **Tráfego:** Esta categoria de anúncio tem o objetivo de levar o usuário a clicar no link e ser direcionado a um site, blog ou página da empresa.

• **Envolvimento:** Aqui, o objetivo não é divulgar um outro site, mas sim gerar engajamento dos usuários na publicação, por meio de curtidas, comentários e compartilhamentos.

• **Instalações de aplicativos:** O objetivo desta categoria é levar os usuários a baixarem um determinado app.

• **Visualizações de vídeos:** Como o próprio nome diz, esta categoria tem como objetivo gerar a visualização de vídeos! Ponto de atenção: os vídeos dos anúncios devem estar hospedados no próprio Facebook, e não em outras plataformas.

• **Geração de cadastros:** Nesta categoria o objetivo é levar os usuários a se cadastrarem por meio de um formulário. É uma estratégia de geração de leads.

• **Mensagens:** Nesta opção, os usuários são convidados a interagirem com a página por meio de mensagens.

CONVERSÃO

• **Conversões:** Conversão é o termo que utilizamos quando o cliente em potencial realiza a ação que a marca espera, seja a compra de um produto, a assinatura de um serviço ou outro.

• **Vendas do catálogo:** Aqui, o objetivo é levar o usuário à compra de itens de um catálogo pré-cadastrado no Facebook.

• **Tráfego para o estabelecimento:** Esta é uma categoria importante para quem tem lojas físicas, pois por meio dela o Facebook levará o seu anúncio aos usuários com maior probabilidade de visitarem o seu estabelecimento.

SOPA DE LETRINHAS DIGITAL

POR BÁRBARA RONCADA | IMAGENS: SHUTTERSTOCK

VOCÊ SABE A DIFERENÇA ENTRE CONTEÚDO PAGO, CONTEÚDO PRÓPRIO E MÍDIA ESPONTÂNEA? **CONHECE AS SIGLAS** CAC, CPA, CPC, SEO OU SEM? MONTAMOS UM GLOSSÁRIO PARA EXPLICAR O QUE SIGNIFICAM ESTES E OUTROS TERMOS IMPORTANTES **DO MARKETING DIGITAL**!

AIDA

(Atenção, Interesse, Desejo e Ação)
A sigla resume as quatro etapas do processo de relacionamento com o cliente por meio do marketing digital.

ALT TEXT

(Texto alternativo)
É a descrição de uma imagem na internet em forma de texto, que será lido por motores de busca (como o Google). É superimportante na estratégia de SEO.

ANALYTICS

Este termo costuma ser utilizado para referir-se à análise de dados de performance de um site ou outra ferramenta de marketing digital.

BANNER

Anúncios em formato de imagem em páginas da internet em geral, inclusive no Facebook.

CAC

(Custo de Aquisição de Cliente)
É a métrica que permite que as empresas analisem qual é o custo/investimento aplicado na geração de cada cliente novo.

CONTEÚDO PAGO

Como o nome já diz, são conteúdos publicados pela empresa em qualquer tipo de mídia paga, como anúncios no Facebook, Google ou outras mídias sociais e banners em sites, por exemplo.

CONTEÚDO VIRAL

Texto, imagem, vídeo ou qualquer conteúdo compartilhado e reproduzido amplamente. Pode ou não ser resultado de uma estratégia de marketing.

CONTEÚDO PRÓPRIO

Diferentemente do conteúdo pago, o conteúdo próprio é criado pela marca e publicado em ferramentas não pagas, como blogs e redes sociais próprias da empresa, ou ainda em e-mails e mensagens enviadas por outros canais próprios.

CPA

(Custo por Aquisição)
Neste método de cobrança, o valor a ser pago pelo anunciante varia de acordo com a quantidade de conversões realizadas (venda é um exemplo de conversão).

CPC

(Custo por Clique)
Similarmente ao CPA, neste método de cobrança o valor a ser pago pelo anunciante varia de acordo com a quantidade de cliques realizados pelos usuários.

CRM

(Customer Relationship Management)
Este é um termo antigo do marketing, e nada mais é do que a gestão do relacionamento com o cliente.

CRO

(Conversion Rate Optimization)
É um conjunto de estratégias para aumentar o percentual de conversões de uma página na internet.

CTA

(Call to action)
É uma estratégia para induzir o usuário a realizar uma determinada ação, como clicar em um link, baixar um conteúdo ou realizar uma compra.

CTR

(Click Through Rate)
Refere-se à porcentagem dos usuários que visualizam o conteúdo e também clicam no link indicado de um conteúdo pago ou próprio.

ENGAJAMENTO

No marketing digital, engajamento representa as interações que os usuários têm com as marcas por meio dos conteúdos publicados.

INBOUND MARKETING

Sabe as propagandas de rádio e TV que "interrompem" o seu dia a dia? Esta estratégia é chamada de *Outbound Marketing*. O *Inbound Marketing* busca atrair o cliente gradualmente por meio da publicação de conteúdos próprios relevantes até uma potencial interação do cliente com a marca.

LEAD

No marketing digital, lead é um cliente potencial, alguém que demonstrou interesse na marca e compartilhou seus dados pessoais e de contato para que a empresa envie informações relevantes para ele. Para a empresa, os leads podem vir a se tornar clientes por meio do funil de vendas.

PERSONA

Nada mais é do que uma representação do "consumidor ideal" para um produto ou serviço de uma marca, criada a partir de características demográficas e comportamentais. Uma persona definida ajuda o time de marketing a desenhar uma estratégia específica para atingir este público.

SEM

(Search Engine Marketing)
São estratégias para promover o site da empresa ao topo da lista de resultados de pesquisa nos buscadores, seja por meio de links patrocinados ou por SEO (definição ao lado).

EDGERANK

É um algoritmo específico do Facebook que avalia a relevância dos conteúdos para apresentação no feed de notícias do usuário, considerando o formato da publicação, a data da postagem e afinidade (se o usuário já realizou outras interações com a página provedora do conteúdo).

FACEBOOK ADS

Plataforma de anúncios do Facebook que permite a criação de anúncios em diferentes formatos por meio de uma fan page. Oferece diversos níveis de segmentação, de forma a endereçar os anúncios ao público-alvo de interesse do anunciante.

KPIS

(Key Performance Indicators)
Este termo faz parte do vocabulário de negócios de forma geral. Um KPI é um indicador de performance quantitativo usado para mensurar as ações.

MÍDIA ESPONTÂNEA

Conteúdo sobre uma marca que não é criado ou patrocinado pela empresa, mas sim por usuários/clientes.

ROI

(Return on Investment)
Quando falamos em investimento, queremos naturalmente saber qual será o retorno desse investimento. O Retorno sobre Investimento representa a relação entre lucro e custo de uma ação, ou campanha de marketing, apresentada em forma de porcentagem.

SEO

(Search Engine Optimization)
SEO é uma estratégia de promover o site da empresa nos motores de busca. Neste caso, por meio do uso de palavras-chave nos conteúdos do site que estejam relacionadas às principais buscas do segmento do produto ou serviço.

A CAMPANHA ESTÁ SURTINDO EFEITO?

POR BÁRBARA RONCADA | IMAGENS: SHUTTERSTOCK

Aprenda a gerenciar as suas campanhas e **analisar o desempenho de cada anúncio para otimizar seus recursos**, atrair mais clientes e aumentar suas vendas!

Tão importante quanto criar conteúdos relevantes e definir um bom cronograma de publicações para a sua página no Facebook, é aprender a analisar a performance das campanhas. Quando você investe em algo, é natural que espere um bom retorno desse investimento – e, claro, isso também vale para investimento em anúncios nas redes sociais.

A plataforma de análise de desempenho dos anúncios no Facebook é bastante completa e fornece todas as informações de que você precisa para compreender se suas campanhas estão surtindo o efeito desejado e, quando necessário, realizar mudanças na estratégia.

Para isso, é importante entender o funcionamento da plataforma e como extrair os principais insights. Confira nas próximas páginas como utilizar o Gerenciador de Anúncios para acompanhar as suas campanhas e fazer o melhor uso do seu investimento em anúncios. Ah, e não deixe de verificar nossa lista explicativa das métricas de desempenho de campanhas do Facebook (página 60).

20% - 30%
100
800
20%

ANÁLISE DOS RESULTADOS DAS CAMPANHAS

No capítulo 5, nós aprendemos a criar campanhas e anúncios no Facebook para alcançar diferentes objetivos, desde o reconhecimento de marca até a venda de produtos. No entanto, depois que os anúncios estão no ar, é preciso analisar os resultados das campanhas e realizar ajustes na estratégia sempre que necessário.

1

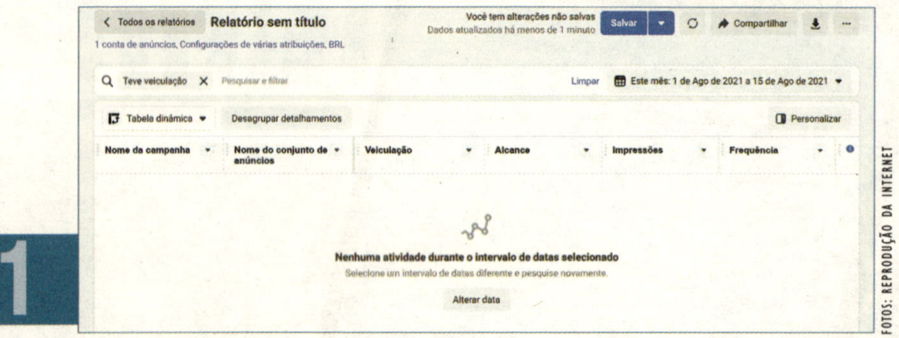

FOTOS: REPRODUÇÃO DA INTERNET

Para analisar as métricas de desempenho das campanhas, escolha a opção "Relatório de Anúncios", onde você poderá visualizar relatórios básicos ou criar seus próprios *dashboards*. A ferramenta é simples de utilizar e oferece diversas possibilidades de análise de diferentes métricas e filtros, além de oferecer a visão agregada de toda a conta e a visão individual de cada campanha.
Pensando em tornar a experiência no "Gerenciador de Anúncios" mais fácil, vamos mostrar os principais dados apresentados nos detalhamentos dos relatórios:

2

Para visualizar os resultados, você pode escolher um **nível** de detalhamento: "Campanhas", "Conjunto de anúncios" e "Anúncios".

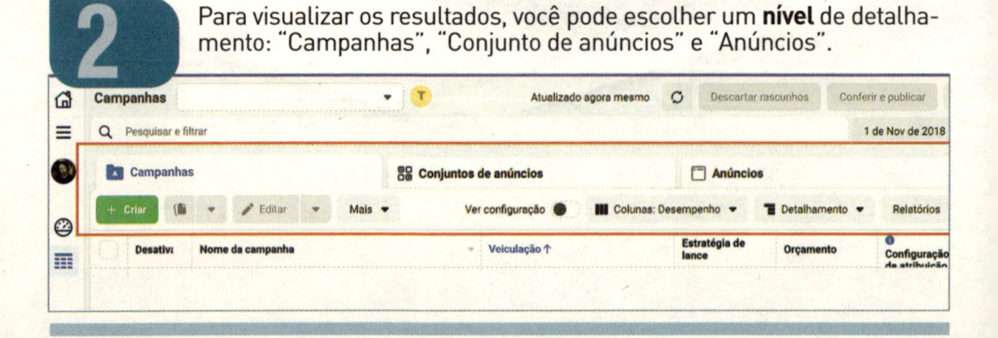

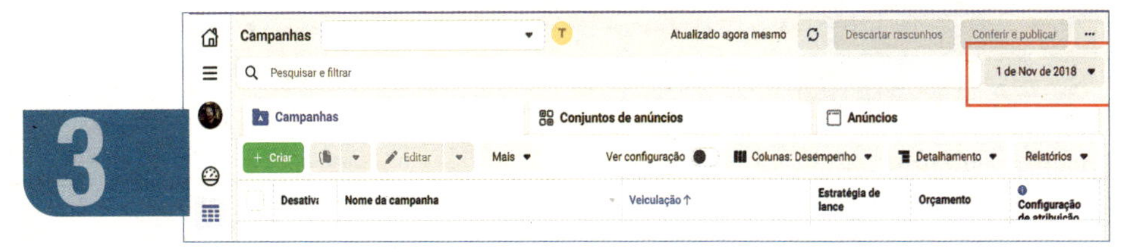

Você também pode selecionar o período da análise na opção **hora**.

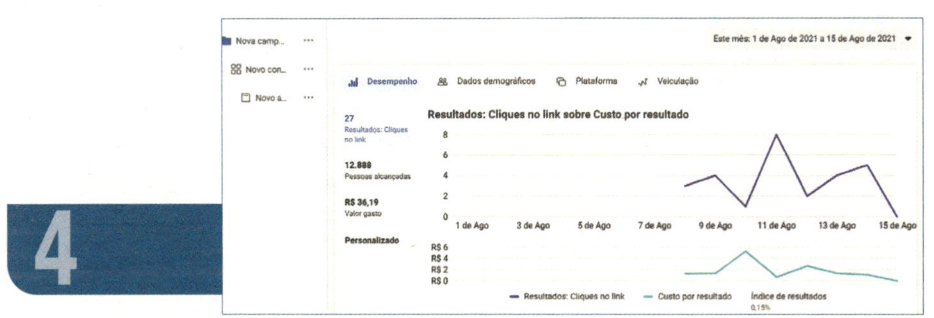

No Gerenciador de Anúncios, onde criamos as campanhas, também é possível acessar os relatórios de desempenho de cada anúncio e campanha, além do resumo geral da conta com os principais resultados e um balanço do valor investido.

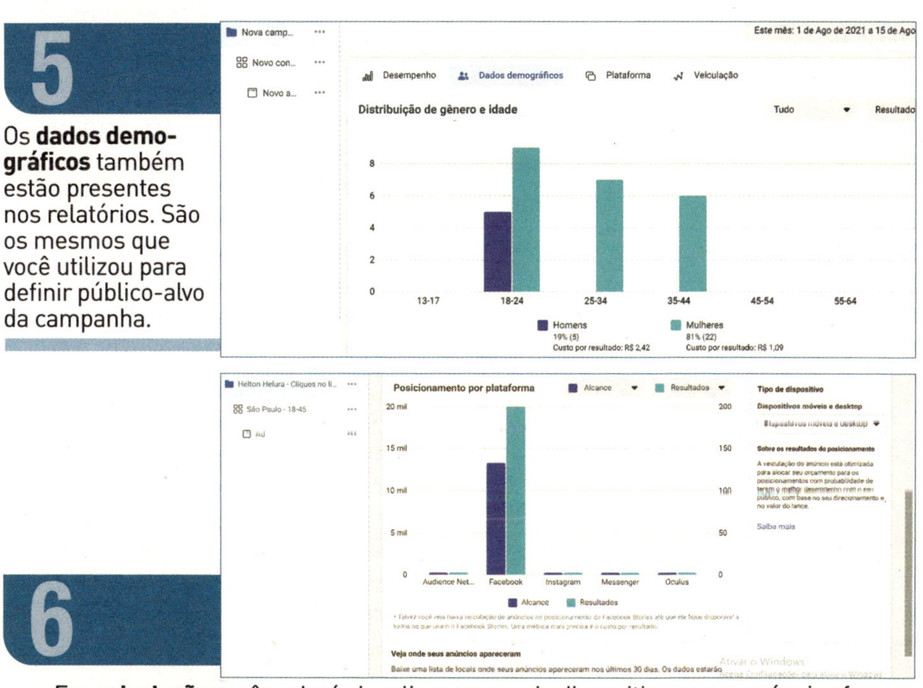

Os **dados demográficos** também estão presentes nos relatórios. São os mesmos que você utilizou para definir público-alvo da campanha.

Em **veiculação** você poderá visualizar por quais dispositivos seus anúncios foram visualizados, quais os horários, qual o posicionamento na página do usuário e em qual aplicativo foi veiculado, entre outros.

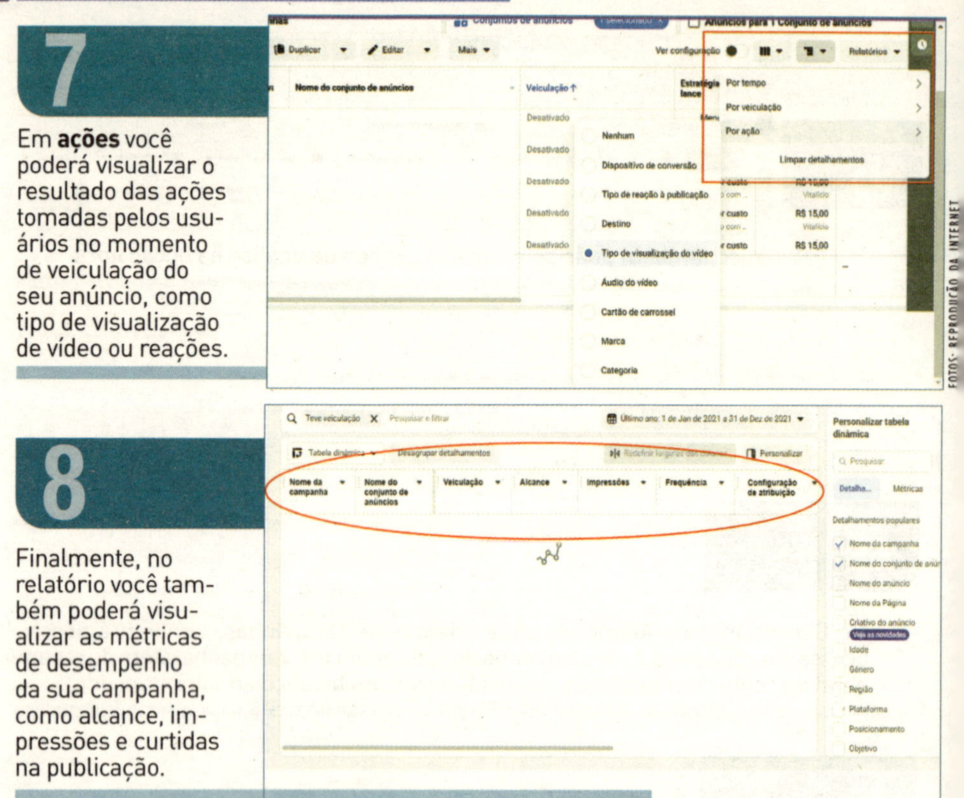

FOTOS: REPRODUÇÃO DA INTERNET

7

Em **ações** você poderá visualizar o resultado das ações tomadas pelos usuários no momento de veiculação do seu anúncio, como tipo de visualização de vídeo ou reações.

8

Finalmente, no relatório você também poderá visualizar as métricas de desempenho da sua campanha, como alcance, impressões e curtidas na publicação.

MÉTRICAS DE DESEMPENHO DE ANÚNCIOS NO FACEBOOK

Saiba o que cada uma delas significa:

- **ALCANCE:** Número de usuários únicos que viram seu anúncio ao menos uma vez
- **IMPRESSÕES:** Número total de vezes que o anúncio foi exibido
- **VEICULAÇÃO:** Status atual da campanha ou anúncio, se está em veiculação ou se já foi concluído
- **FREQUÊNCIA:** A média de vezes em que o anúncio foi exibido para um mesmo usuário
- **CURTIDAS:** Quantidade de novas curtidas na página veiculada no anúncio
- **CLIQUES NO LINK:** Número de vezes em que os usuários clicaram no link veiculado no anúncio
- **MENÇÕES:** Quantidade de vezes em que os usuários mencionaram a página da empresa
- **VISUALIZAÇÕES DE VÍDEO:** Número de visualizações de um vídeo veiculado no anúncio
- **VISUALIZAÇÕES DE SITE:** Número de visualizações no site/página veiculado no anúncio
- **ADIÇÕES AO CARRINHO:** Número de vezes em que os usuários adicionaram itens veiculados no anúncio ao carrinho de compras

Lembra-se das medidas de cobrança dos anúncios que vimos no glossário de mídia paga? Você verá as mesmas métricas nos relatórios do Gerenciador de Anúncios. Então, se tiver dúvidas, vale a pena voltar algumas páginas e conferir.

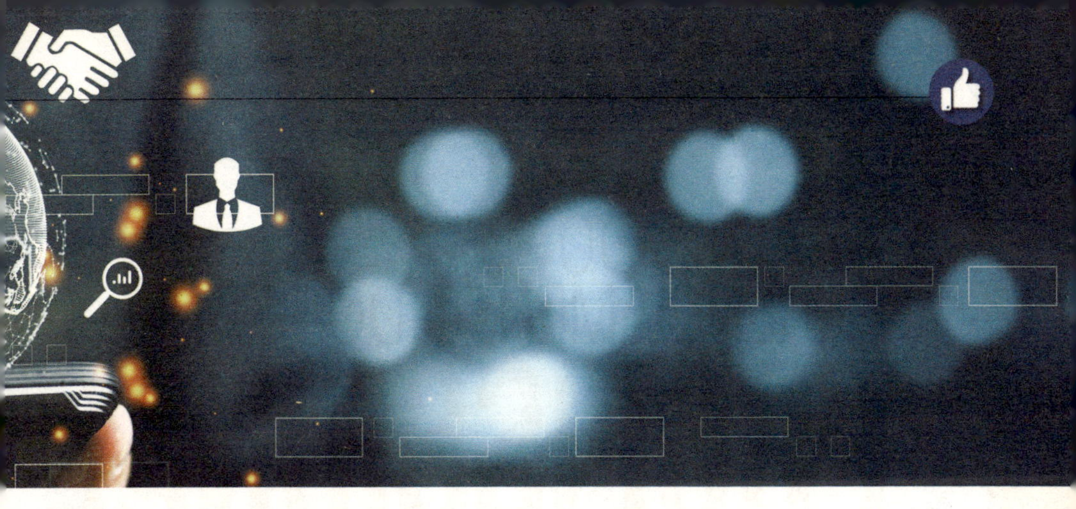

PARA TIRAR O MÁXIMO PROVEITO DA VISUALIZAÇÃO GERAL DE CONTA

Dentre as inúmeras vantagens de investir em veiculação de anúncios no Facebook, está a facilidade na criação e gerenciamento das campanhas, considerando que a própria plataforma oferece dicas, alertas e relatórios bastante completos.

No Gerenciador de Anúncios está disponível um resumo do desempenho dos anúncios da sua conta na última semana, incluindo métricas de campanhas atuais, além de informações básicas de conta. Vamos verificar alguns itens superúteis que estão facilmente acessíveis na "Visão geral":

1 Caso alguma ação urgente deva ser tomada, como atualizar uma forma de pagamento vencida ou corrigir um anúncio não aprovado, você receberá um alerta na sua visão geral de conta.

2 Além dos alertas, o Gerenciador de Anúncios do Facebook também fornece recomendações de mudanças nas suas campanhas que podem otimizar os recursos e os resultados.

3 As tendências de campanha são as informações mais importantes sobre o desempenho das suas campanhas recentes.

ALIADOS DO GERENCIAMENTO DO PERFIL PROFISSIONAL

POR BÁRBARA RONCADA | IMAGENS: SHUTTERSTOCK

CONHEÇA ALGUMAS FERRAMENTAS QUE COLABORAM, E MUITO, COM QUEM DESEJA INVESTIR EM MARKETING DE **MÍDIAS SOCIAIS**

Criar a página e preencher os campos, definir e entender o seu público, fazer um cronograma de postagens, produzir as publicações direcionadas, publicar e realizar anúncios, fazer a análise do desempenho... Ufa! Sim, sabemos que são diversas as etapas, e gerenciar um negócio no Facebook requer dedicação. Mas, calma! A gente ajuda você a encontrar soluções para tornar a sua rotina mais fácil e a sua estratégia de marketing digital mais eficaz e rentável.

Ainda que não tenha uma superequipe trabalhando ao seu lado para gerenciar a sua página, não precisa se desesperar nem fazer tudo sozinho. Há diversas opções de ferramentas excelentes para gerenciamento de mídias sociais, e você pode encontrar a que mais se adequa às suas necessidades e adotá-la em sua estratégia.

Pensando nisso, selecionamos aplicativos e ferramentas com diferentes funcionalidades para você escolher e testar aquelas que mais atendem às suas exigências, do gerenciamento de postagens à automatização de anúncios. Vire a página e descubra!

5G
01

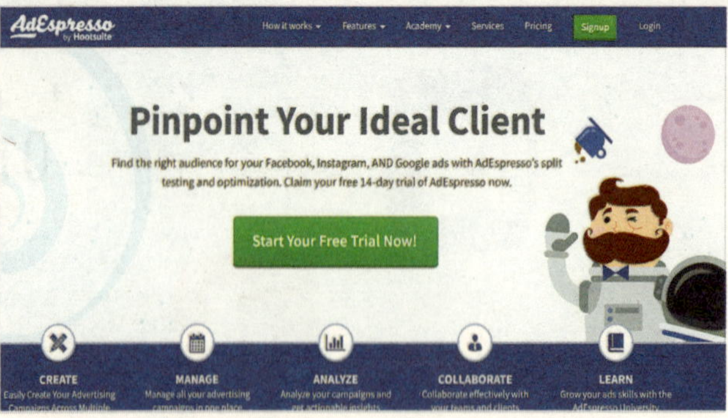

FOTOS: REPRODUÇÃO DA INTERNET

1 ADESPRESSO

Se você sentiu dificuldades em utilizar o Gerenciador de Anúncios do Facebook, talvez o site AdEspresso seja uma boa solução para você. A ferramenta ajuda a automatizar algumas ações no Gerenciador, como impulsionar anúncios que estão apresentando melhor desempenho. Além disso, realiza testes A/B, ajudando a definir melhor seu público-alvo.

2 BUFFER

Esta é uma ferramenta muito útil para quem precisa gerenciar diversas mídias de uma vez, ou para quem tem uma agenda muito apertada e precisa otimizar o tempo para publicar conteúdos nas páginas da sua marca. No Buffer você consegue agendar posts em diversas mídias para dias e horários específicos, tornando mais fácil a programação de conteúdo. **Disponível para Android e iOS.**

ContentStudio - Social Media Management Tool
Lumotive AB

8,7 MB · Classificação Livre · Mais de 5 mil Downloads

Instalar

Encontre, gerencie e compartilhe o melhor

3 CONTENTSTUDIO

Esta ferramenta não é focada na produção ou gerenciamento de conteúdo. Na realidade, a função do ContentStudio é realizar a curadoria de conteúdos relevantes que você pode publicar em suas redes. Por exemplo, se é um fabricante de materiais de construção, você pode buscar no app reportagens relevantes sobre o seu mercado que sejam interessantes para seus potenciais clientes e seguidores. **Disponível para Android e iOS.**

4 ETUS SOCIAL

A Etus é uma ferramenta bastante robusta para gerenciamento de mídias sociais, programação de posts, relatórios de performance, captação de leads, entre outros. Também oferece um banco de imagens e vídeos, muito úteis na hora de montar peças criativas para as redes sociais. **Disponível para Android e iOS.**

Etus - Gestão completa para redes sociais
Etus Brasil

2,9★ 261 avaliações · 6,6 MB · Classificação

Instalar

5 FANPAGE KARMA

Esta ferramenta é superimportante para quem está investindo em Facebook Marketing especificamente. A plataforma é utilizada para monitorar a presença da marca no Facebook, melhores dias e horários para publicar, perfis e páginas com maior engajamento, trending topics etc.

Exceptional Social Media Management needs a strong core

FOTO: REPRODUÇÃO DA INTERNET

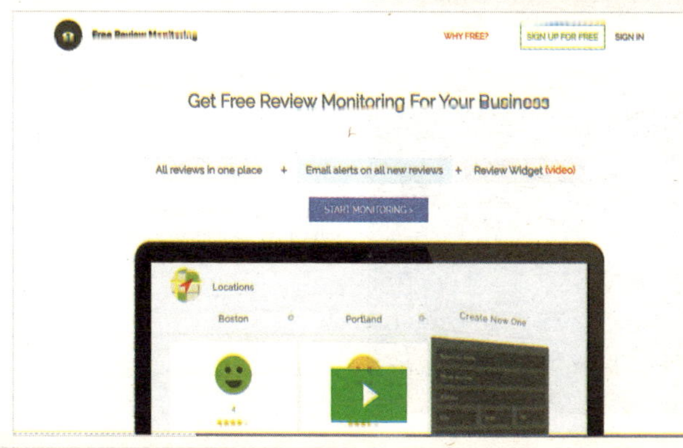

6 FREE REVIEW MONITORING

A ferramenta gratuita é bastante útil para quem deseja monitorar as avaliações e os comentários das pessoas sobre a sua marca.

7 GOOGLE ALERTAS

Dica supervaliosa para os produtores de conteúdo para internet: o Google oferece uma função gratuita de alerta de nomes e palavras-chave. Você pode criar um alerta para todas as vezes em que o nome da sua marca ou de um termo específico relacionado ao seu negócio tenha um alto índice de busca.

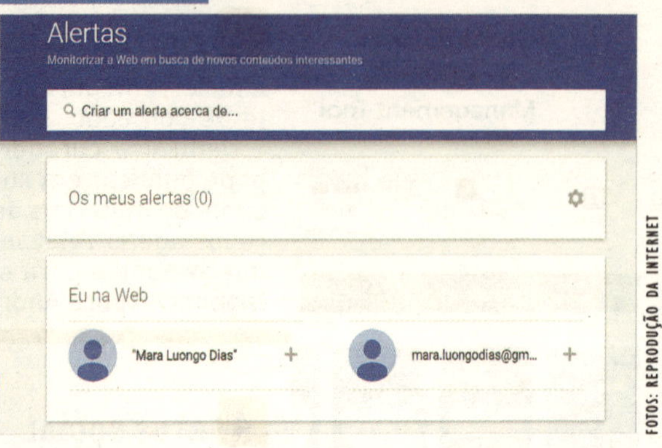

8 HOOTSUITE

Assim como o Buffer, o Hootsuite é uma das ferramentas de gerenciamento de redes sociais mais famosas. Você pode agendar posts, responder comentários e mensagens diretas, encurtar URLs e ver dados de performance. **Disponível para Android e iOS.**

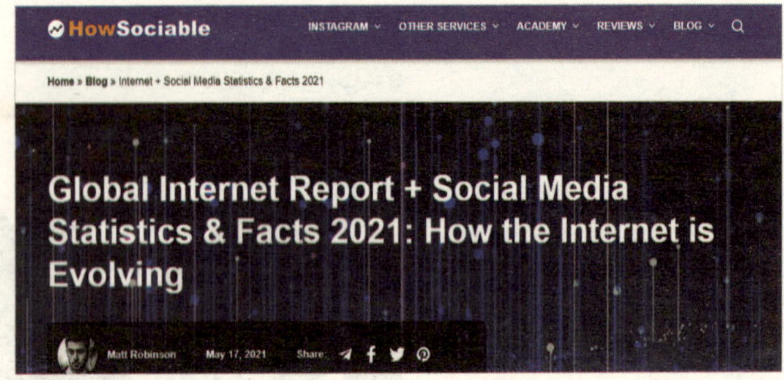

9 HOWSOCIABLE

A ferramenta é bem interessante para quem está investindo em marketing digital, sobretudo nas redes sociais. A HowSociable mede a influência da marca na rede, considerando número de visualizações em páginas, curtidas, comentários, avaliações, entre outros.

10 KEYHOLE

Ferramenta gratuita de monitoramento de palavras-chave, nomes ou hashtags. O Keyhole é muito funcional para verificar se a sua marca está sendo mencionada e quais os principais termos do seu segmento de mercado estão sendo mais utilizados, sem precisar de investimento. **Disponível para Android.**

11 KEYWORD PLANNER

Trabalhar o website da marca com SEO faz parte de uma boa estratégia de marketing digital. O Keyword Planner é uma ótima ferramenta para isso, pois você pode verificar as principais métricas das palavras-chave ou termos que utilizar. Esse recurso é encontrado no AdWords do Google.

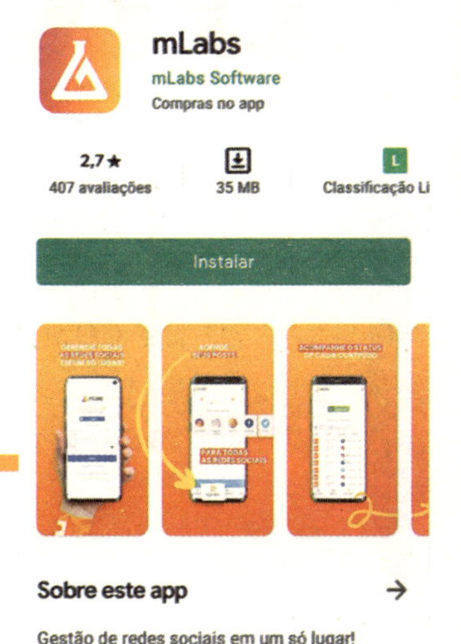

12 MLABS

A mLabs é uma ferramenta bastante completa para gerenciamento de redes sociais, pois oferece a função de programação de posts, contém relatórios de performance personalizados, comparação com a concorrência, além de gerenciamento de mensagens diretas no Facebook e Instagram. **Disponível para Android e iOS.**

13 POST PLANNER

Indicado para quem está investindo em Facebook Marketing, o Post Planner é uma ferramenta gratuita para verificar os principais tópicos abordados pelos usuários na plataforma, os tipos de conteúdo que os seguidores da sua página têm interagido e outros insights para auxiliar na geração de conteúdo.

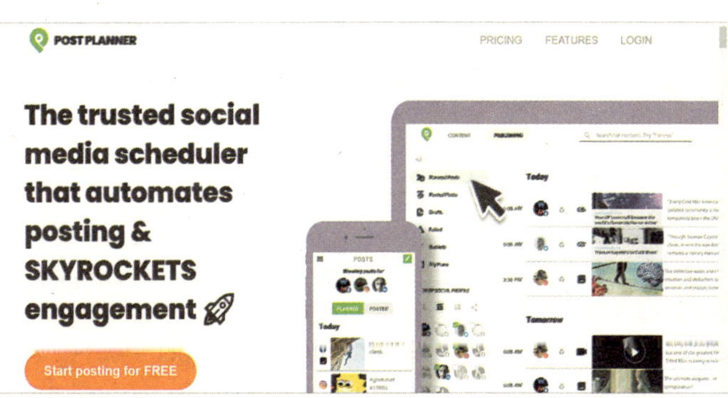

14 TORABIT

Antes conhecida como Scup, a última ferramenta da lista é bastante conhecida e passou a ser gerida pela Torabit. A plataforma possibilita que as marcas gerenciem diversas redes sociais simultaneamente, conheça insights de mercado, identifique tendências e refine a estratégia de marketing digital.

CONSTRUINDO A SUA COMUNIDADE DIGITAL

POR BÁRBARA RONCADA | IMAGENS: SHUTTERSTOCK

SABE **AQUELE ENCONTRO DE PESSOAS COM INTERESSES EM COMUM** QUE ACONTECE DE FORMA NATURAL E ORGÂNICA EM LOJAS FÍSICAS? OU OS EVENTOS ORGANIZADOS POR MARCAS JUSTAMENTE COM O INTUITO DE REUNIR O PÚBLICO-ALVO PARA TESTAR PRODUTOS, CONHECER A MARCA OU DISCUTIR TEMAS DE INTERESSE? QUE TAL REPLICAR ESTES CENÁRIOS NO AMBIENTE VIRTUAL?

O Facebook possibilita a criação de verdadeiras comunidades no ambiente digital. Se nas interações presenciais você consegue encontrar pessoas que têm interesses em comum dentro do seu círculo de contatos, imagine potencializar isso e descentralizar, abrindo oportunidades para conhecer e interagir com pessoas com os mesmos interesses ao redor do mundo?

Vamos falar primeiramente sobre os grupos e como você pode utilizar este recurso para potencializar o seu negócio no ambiente digital. Os grupos são ambientes virtuais para troca de informações e experiências, dicas, discussões e debates ao redor de temas em comum. Há grupos privados, que requerem autorização do dono do grupo para entrar, e grupos abertos. Cada grupo pode ter regras específicas de comportamento dos usuários, e tudo pode ser definido de forma orgânica pelos usuários, ou ser definido inicialmente pelo dono do grupo. Já pensou em criar um novo grupo sobre um tema de interesse do seu público-alvo e utilizá-lo para obter insights sobre os usuários e, de quebra, divulgar sua página, seus produtos e serviços?

Os eventos são também uma excelente oportunidade de se aproximar dos potenciais clientes no Facebook. Porém, enquanto os grupos possibilitam oportunidades de interação contínua e sem data de término, os eventos oferecem uma comunicação pontual e no curto prazo.

PASSO A PASSO DA CRIAÇÃO DE GRUPO NO FACEBOOK

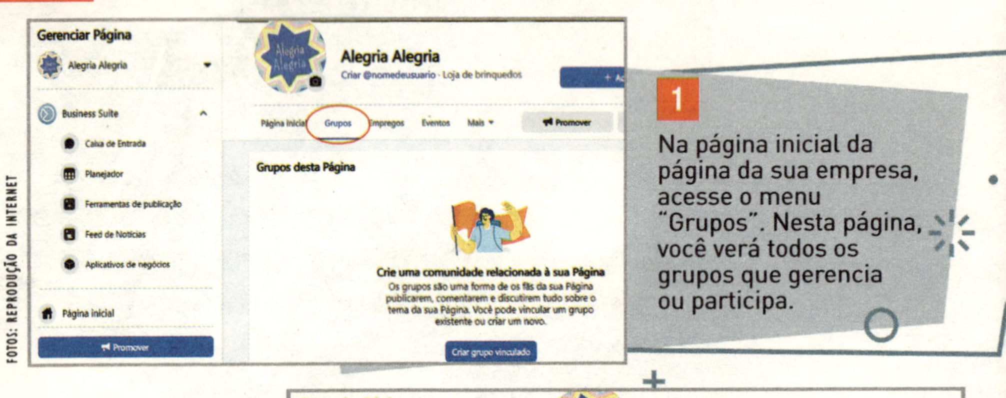

1

Na página inicial da página da sua empresa, acesse o menu "Grupos". Nesta página, você verá todos os grupos que gerencia ou participa.

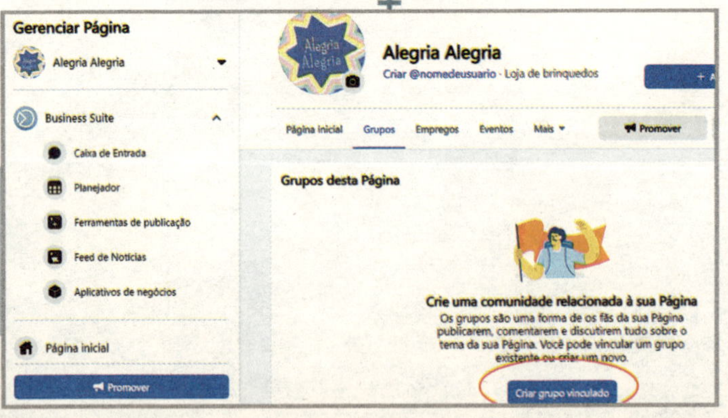

2

Clique na opção "Criar grupo vinculado".

FOTOS: REPRODUÇÃO DA INTERNET

3

Preencha os campos indicados: nome do grupo, privacidade e se o grupo deve ficar oculto (somente membros conseguem encontrá-lo) ou visível (pode ser encontrado por qualquer pessoa – o mais recomendado nesse caso).

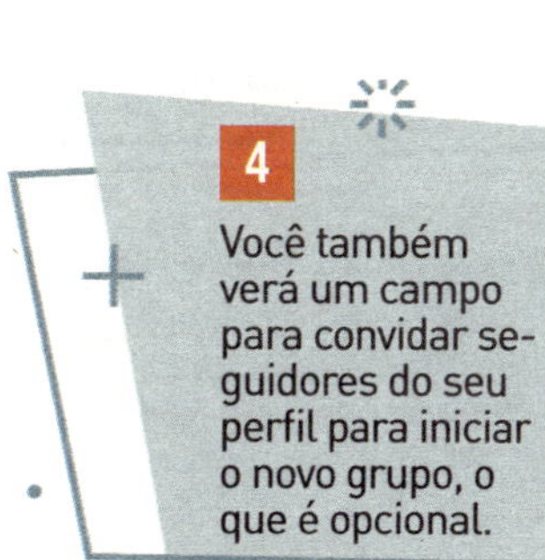

4

Você também verá um campo para convidar seguidores do seu perfil para iniciar o novo grupo, o que é opcional.

5

Após preencher os campos, clique em "Criar".

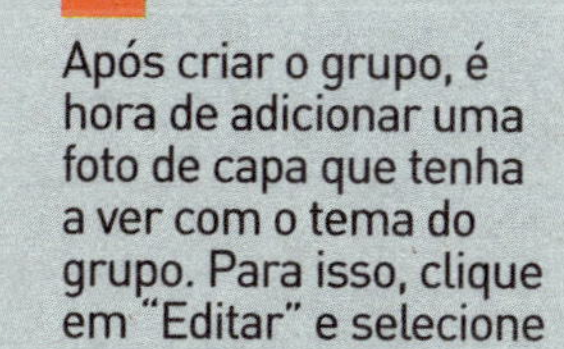

6

Após criar o grupo, é hora de adicionar uma foto de capa que tenha a ver com o tema do grupo. Para isso, clique em "Editar" e selecione a nova imagem.

7

Ao selecionar a foto de capa, clique em "Salvar alterações".

8

Agora, clique em "Adicione uma descrição".

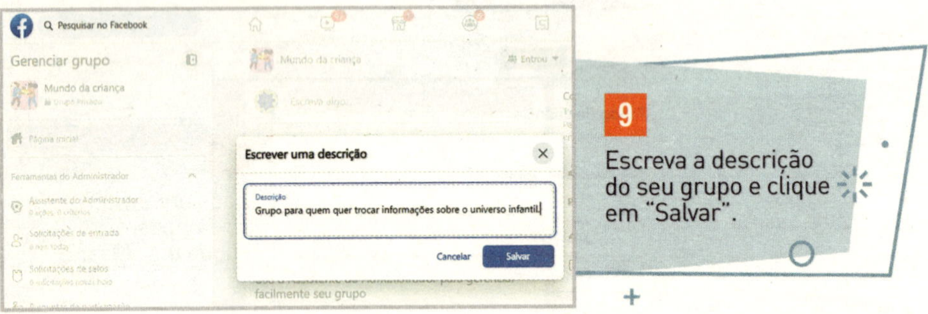

9

Escreva a descrição do seu grupo e clique em "Salvar".

10

Clique em "Crie uma publicação".

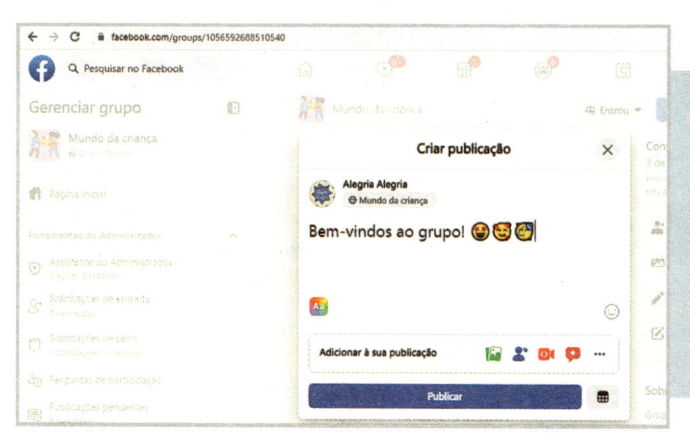

11

Escreva a sua primeira publicação (podem ser regras do grupo, boas--vindas etc). Se quiser, você pode selecionar um plano de fundo, foto ou vídeo e, ainda, marcar outros perfis). Clique em "Publicar".

12

Por último, selecione "Convidar membros". Quando os primeiros participantes aceitarem o convite, faça um post que proponha uma interação entre os membros e divulgue o seu grupo.

PASSO A PASSO DA CRIAÇÃO DE EVENTO NO FACEBOOK

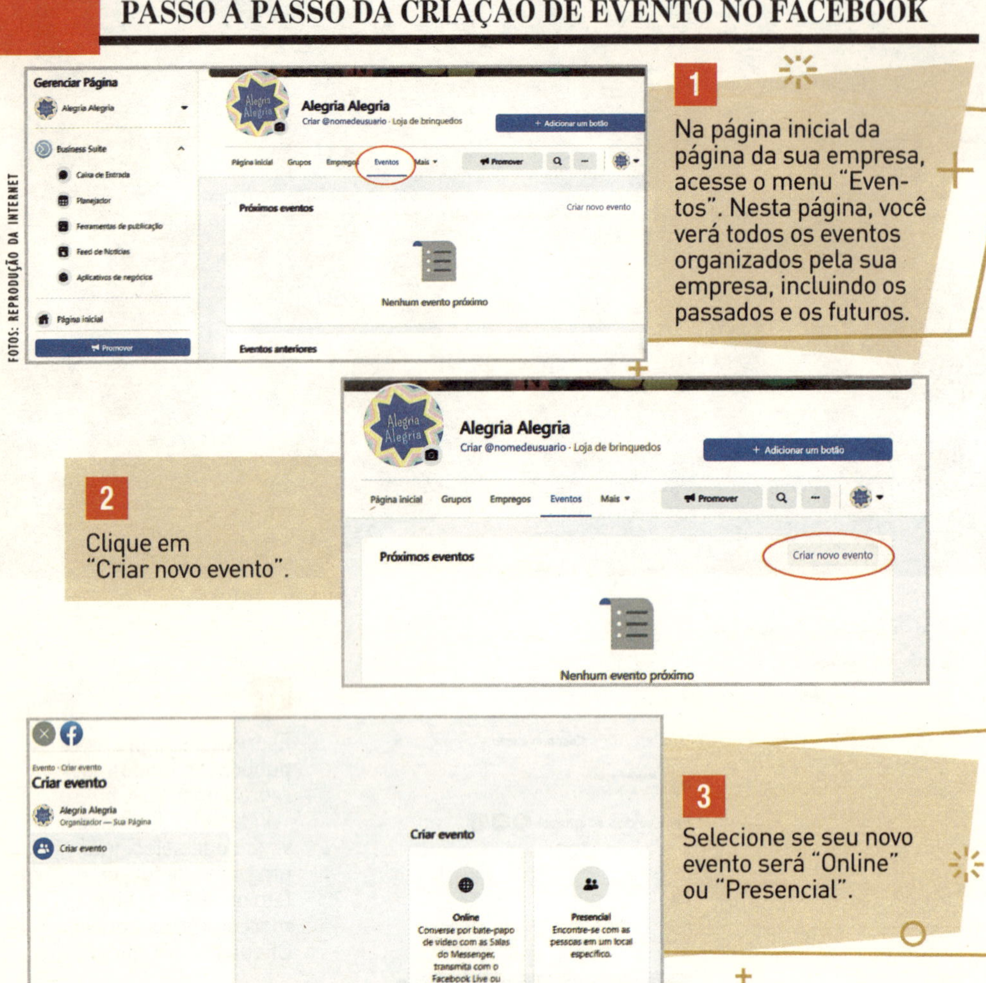

FOTOS: REPRODUÇÃO DA INTERNET

1

Na página inicial da página da sua empresa, acesse o menu "Eventos". Nesta página, você verá todos os eventos organizados pela sua empresa, incluindo os passados e os futuros.

2

Clique em "Criar novo evento".

3

Selecione se seu novo evento será "Online" ou "Presencial".

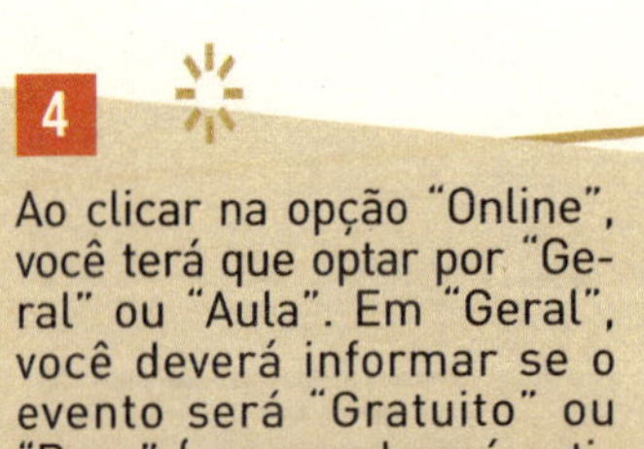

4

Ao clicar na opção "Online", você terá que optar por "Geral" ou "Aula". Em "Geral", você deverá informar se o evento será "Gratuito" ou "Pago" (em que deverá estipular um valor de ingresso). Em seguida, deve preencher as informações do evento (nome, data, horário, link etc) antes de criá-lo.

5

Ao selecionar a opção "Aula", você terá que optar por "Aula única" ou "Curso". Depois, será preciso definir se a aula/curso será grátis ou terá algum custo. Em seguida, deve preencher as informações do evento (valor, data, horário, link etc) antes de criá-lo.

6

Clique em "Publicar evento".

7

Após criar o evento, é hora de convidar sua rede para participar da aula/curso. Você também pode utilizar anúncios para alcançar mais pessoas (saiba mais na página 42).

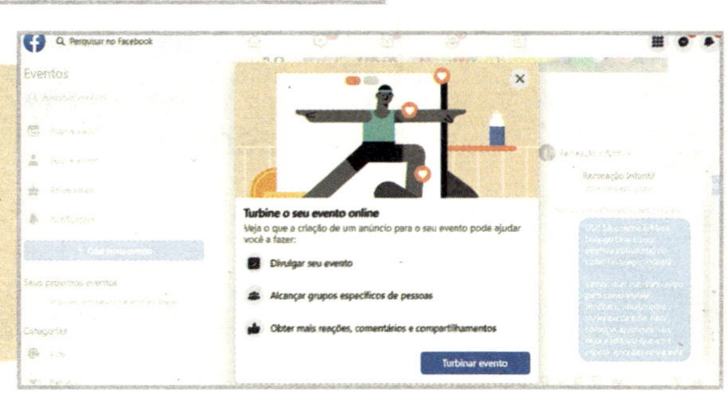

8

Ao clicar na opção "Presencial", preencha as informações do evento (nome, data, horário de início e de término, entre outras) antes de criá-lo.

9

Revise todas as informações e clique em "Publicar evento". Quando estiver tudo pronto, é hora de convidar sua rede para o seu evento.

TUDO EM UM SÓ LUGAR

POR BÁRBARA RONCADA | IMAGENS: SHUTTERSTOCK

VOCÊ SABIA QUE TAMBÉM PODE VENDER SEUS PRODUTOS EM UMA LOJA VIRTUAL NA PLATAFORMA DO FACEBOOK? É UMA FACILIDADE PARA O SEU CLIENTE E UMA **VANTAGEM COMPETITIVA PARA O SEU NEGÓCIO**!

Se você já vende produtos pela internet (em site próprio ou market place) e/ou está planejando criar seu próprio catálogo on-line, não deixe de ler essa matéria sobre a funcionalidade de loja virtual do Facebook. Essa ferramenta indispensável é uma grande aliada para quem atua no e-commerce, porque oferece praticidade para criar catálogos e vender produtos, além da facilidade e redução de custos por não precisar investir em um domínio de site próprio para a sua marca.

Até chegar a este capítulo do nosso guia, você acompanhou todas as nossas dicas para criar sua página comercial no Facebook, gerenciar um cronograma de postagens adequado para o seu público, explorar e tirar máximo proveito de recursos como eventos e grupos, criar anúncios e avaliar o desempenho de suas campanhas. Ou seja, está se tornando um verdadeiro expert e essa etapa será bem fácil para você.

Acompanhe nas páginas a seguir o passo a passo para criar uma loja virtual e confira algumas dicas valiosas!

PASSO A PASSO DA CRIAÇÃO DA LOJA VIRTUAL DO SEU NEGÓCIO

Essa dica é valiosa para os lojistas que querem investir em e-commerce: o Facebook e o Instagram possuem funções de loja virtual para realizar a venda dos produtos de forma rápida e simples. Por meio da loja virtual do Facebook você pode exibir e vender produtos aos seus clientes. No momento de finalização da compra, pode definir se gostaria de direcioná-los ao seu site ou a uma conversa privada com você. Vale lembrar que, até o momento, a função de pagamento via Facebook só está disponível nos EUA. Se ficou interessado em criar uma loja virtual para o seu negócio, veja o passo a passo:

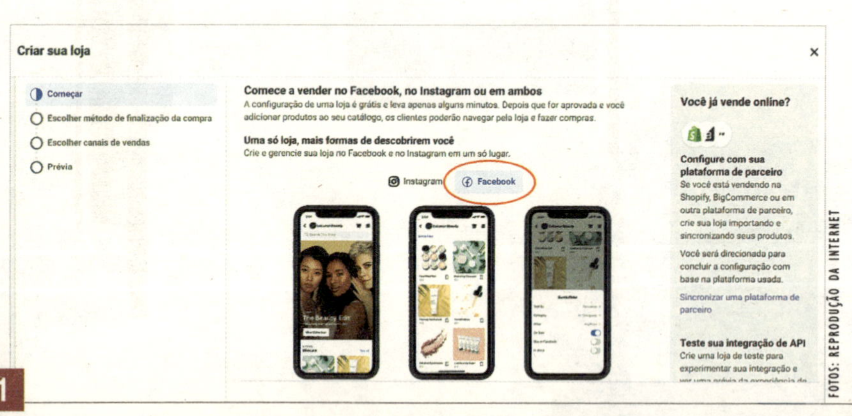

FOTOS: REPRODUÇÃO DA INTERNET

1

Acesse https://www.facebook.com/commerce_manager/onboarding_landing e selecione o Facebook como plataforma para criação da sua loja virtual. Clique em "Avançar".

2

Ao clicar em "Escolher método de finalização da compra", selecione uma das três alternativas:

A

Finalização da compra em outro site: Nesta opção, o usuário será redirecionado para o check-out no site da sua empresa.

B

Finalização da compra com o Facebook ou o Instagram: Como dissemos anteriormente, esta opção está disponível apenas para quem tem conta bancária nos Estados Unidos. Portanto, não é uma alternativa possível no momento.

C

Finalização da compra com mensagem: Por último, você pode optar por redirecionar o cliente ao WhatsApp ou Messenger, onde poderá finalizar a venda diretamente com ele.

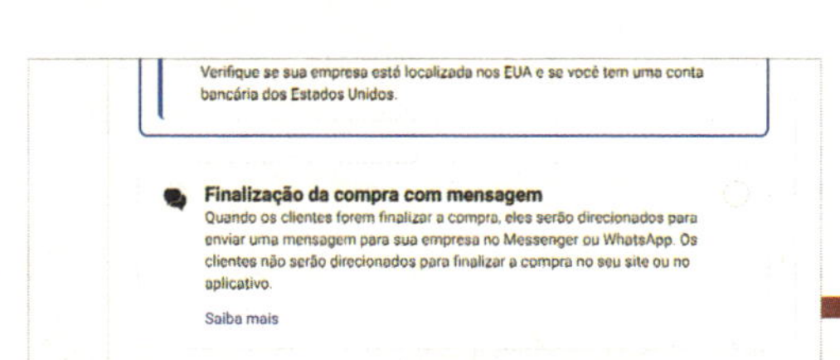

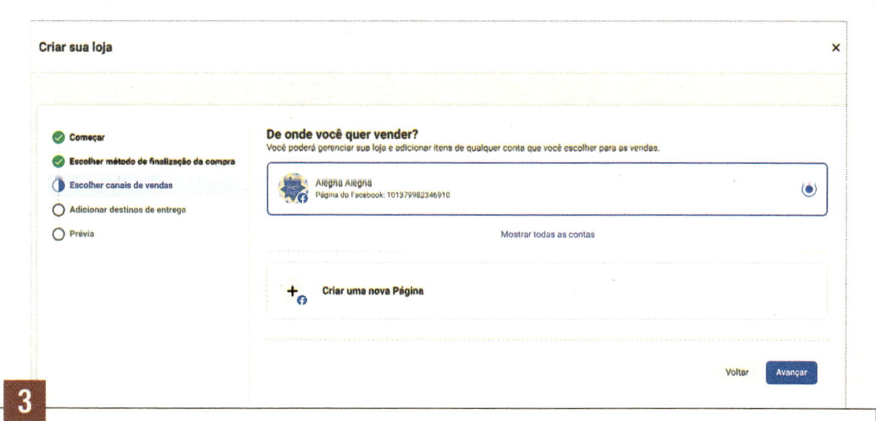

3

Selecione a sua página comercial no Facebook e, se houver, no Instagram. Clique em "Avançar".

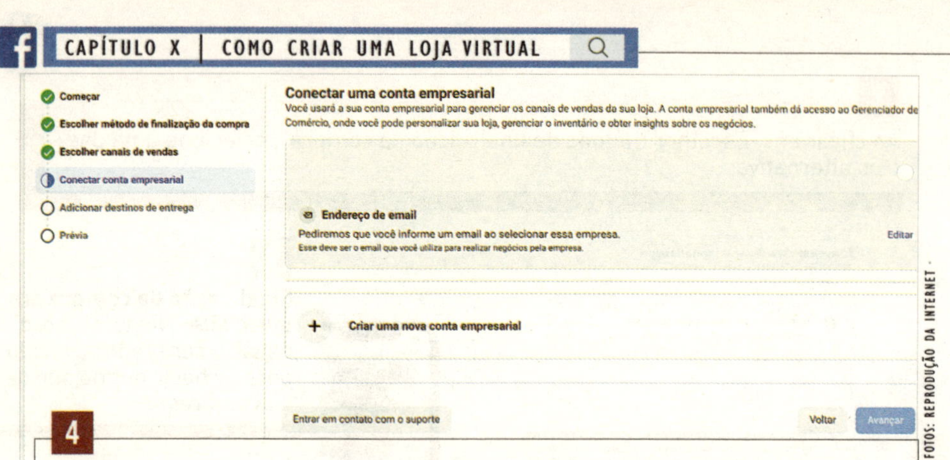

FOTOS: REPRODUÇÃO DA INTERNET

4

Se você já tiver uma conta empresarial, selecione esta alternativa. Caso não, clique em "Criar uma nova conta empresarial".

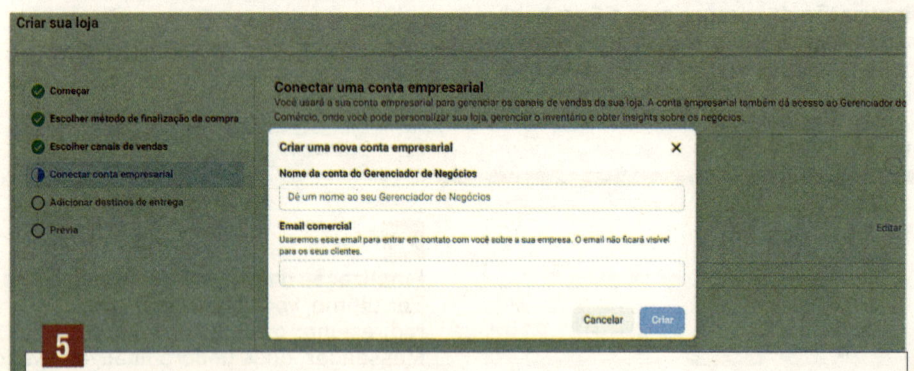

5

Para criar uma nova conta empresarial, preencha o nome e o e-mail da conta.

Criar sua loja

Começar
Escolher método de finalização da compra
Escolher canais de vendas
Adicionar destinos de entrega
Prévia

Para onde você envia?
Adicione países ou regiões para os quais você faz envios. Você pode adicionar outros ou editá-los depois nas configurações. As Lojas do Facebook não estão disponíveis em todos os países ou regiões.
1 país ou região selecionado
Bélgica
Bolívia
Brasil
Bulgária
Camboja
Camarões
Voltar
Avançar

6

Aqui, selecione os países para os quais você entrega os seus produtos. No exemplo, selecionamos somente Brasil. Se você já tiver um catálogo de produtos no Facebook, poderá selecioná-lo. Do contrário, poderá criá-lo depois.

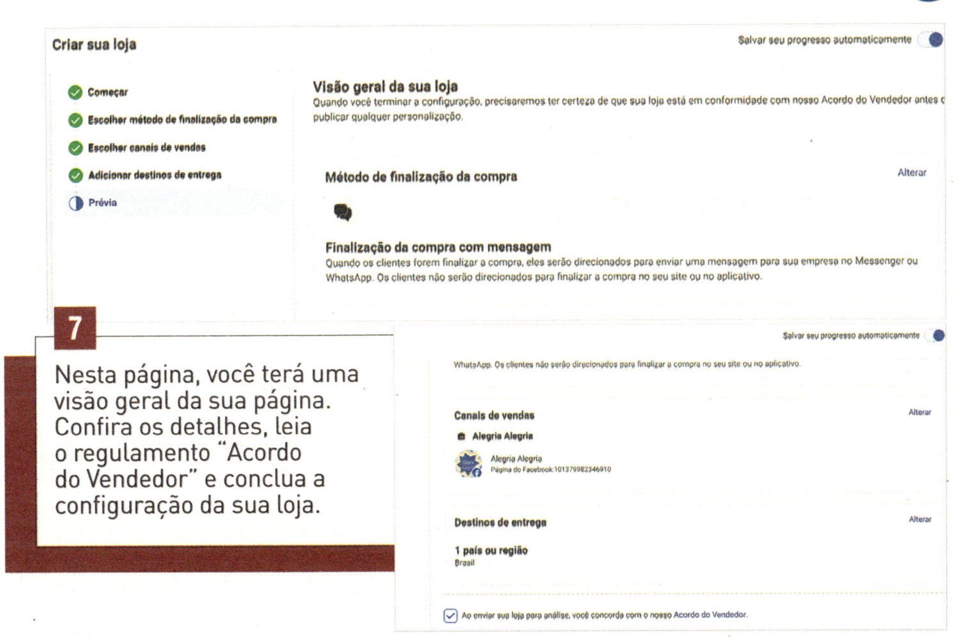

7

Nesta página, você terá uma visão geral da sua página. Confira os detalhes, leia o regulamento "Acordo do Vendedor" e conclua a configuração da sua loja.

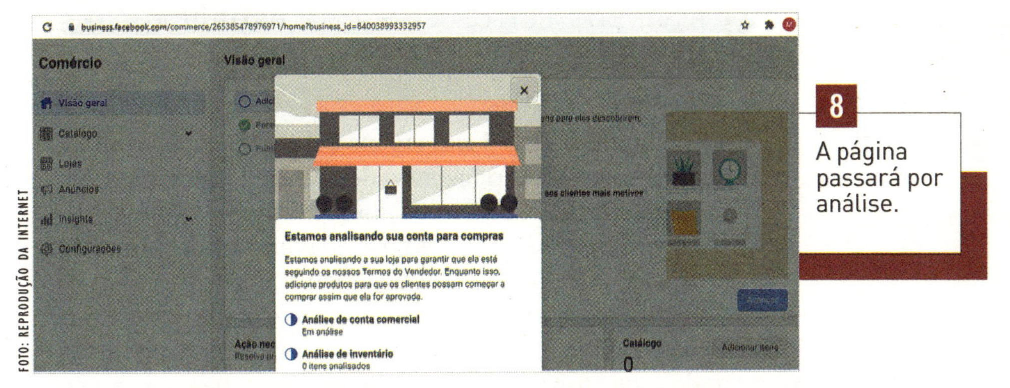

8

A página passará por análise.

Se aprovada, a sua loja virtual estará pronta! Você poderá exibir seus produtos aos seus clientes e potenciais clientes no Facebook.

DICA:

Uma função bem bacana oferecida pelo Facebook é criar uma loja de teste, para você poder navegar e compreender qual será a experiência do seu cliente ao navegar na loja. Uma vez configurada no Facebook, você também pode ativar a loja virtual no Instagram, mas para isso é necessário ter uma conta comercial do seu negócio na rede social também.

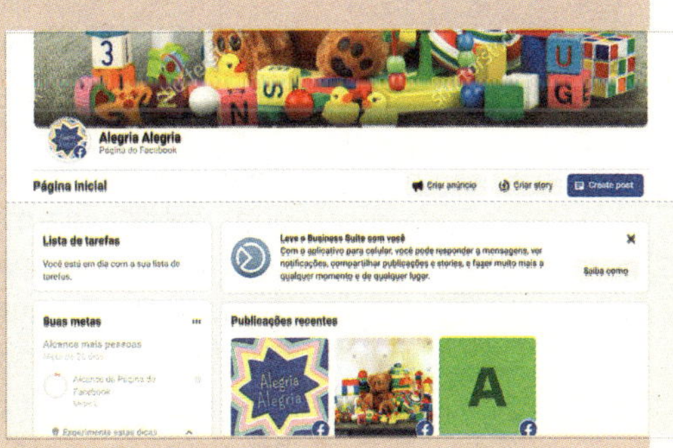

IMAGEM E AÇÃO

POR BÁRBARA RONCADA | IMAGENS: SHUTTERSTOCK

NÃO É FÁCIL DISPUTAR A ATENÇÃO DOS SEGUIDORES E DO PÚBLICO-ALVO NAS REDES SOCIAIS, AFINAL, HÁ CONTEÚDOS DE SOBRA SENDO COMPARTILHADOS CONSTANTEMENTE. PORÉM, UMA COISA É CERTA: QUEM INVESTE EM PUBLICAÇÕES COM FOTOS E VÍDEOS FEITOS COM UMA **PRODUÇÃO DE QUALIDADE SAI NA FRENTE**!

Estamos na era das imagens e dos vídeos. Não à toa, nos últimos anos todas as redes sociais investiram em recursos para postagem de fotos e vídeos, mesmo não sendo esse o objetivo principal da plataforma. São fotos estáticas, galerias, vídeos animados, efeitos, stories...

Você pode estar se pensando: "está certo, na era das fotos e vídeos impactantes, ter imagens bem-produzidas pode fazer toda a diferença. Mas o que eu faço se não sei produzir boas imagens? Como as pessoas têm tanta criatividade para criar peças tão bacanas?"

Calma! Com as dicas a seguir, você vai conseguir produzir um material diferenciado e de alta qualidade. Além disso, existem muitos softwares – gratuitos e pagos – disponíveis na internet para editar e postar fotos e vídeos nas redes sociais. Tudo o que você precisa é conhecer cada um deles para escolher os mais adequados para o seu negócio.

Para ajudar nessa tarefa, selecionamos 15 ferramentas de edição de imagens e vídeos para ajudar você a atrair potenciais clientes nas redes sociais com a combinação de conteúdo relevante e atraente.

O CLIQUE CERTO

Já se pegou analisando fotos de celebridades e influenciadores – ou até amigos habilidosos com os cliques nas redes – e se perguntou como eles conseguem fazer fotos tão boas? Provavelmente eles investem em criatividade, bem como no cenário e iluminação corretos, para fazer o registro na hora perfeita. Confira alguns truques que você também pode aplicar para melhorar a qualidade das suas imagens e agregar valor à página do seu negócio:

CÂMERA PROFISSIONAL OU CELULAR:

- Antes de qualquer coisa, vamos derrubar o mito de que para produzir boas fotos é necessário ter câmera profissional. Com a tecnologia avançadíssima dos smartphones, você pode alcançar qualidade profissional em fotos tiradas com o seu celular mesmo. Porém, se já tiver uma câmera profissional, use-a para tirar as fotos dos seus produtos para a sua página.

ILUMINAÇÃO:

- Garantir uma boa iluminação para produzir boas fotos faz TODA a diferença. Se você estiver fotografando com luz natural – seja ao ar livre, ou com a luz que vem de uma janela ou claraboia –, é crucial conferir de onde vem a claridade para posicionar o objeto ou a pessoa que será fotografada a favor da luz. Se for apostar em luz artificial com equipamentos de iluminação profissionais, ou um simples ring light, é mais fácil controlar o posicionamento da fonte de luz.

FUNDO:

- Se você for fazer fotos de produtos, procure colocá-los em fundos neutros para que nenhum elemento chame mais a atenção do que o seu produto, e também para valorizar as cores do objeto. Agora, se você for fazer fotos da sua loja, por exemplo, preocupe-se em manter o cenário bem-organizado, mas não precisa pensar em um fundo específico.

DICAS EXTRAS:

- Não use a função de zoom, pois isso faz que a foto perca foco e nitidez.
- Ajuste o foco da câmera ou do celular.
- Alguns smartphones têm a função "retrato", que é excelente para tirar fotos sem ter que se preocupar muito com a iluminação, pois o aparelho faz o ajuste automaticamente.
- Uma última dica que pode parecer estranha, mas que faz toda a diferença: mantenha as lentes limpas! Sujeiras na tela da sua câmera podem atrapalhar completamente a composição da sua foto.

APERTE O PLAY

Agora, vamos falar dos vídeos. Você já se perguntou como os grandes produtores de vídeos na internet fazem para criar filmes de alta qualidade? Selecionamos algumas dicas para te ajudar a criar vídeos que vão atrair seus seguidores.

CÂMERA PROFISSIONAL OU CELULAR:

- Se é possível realizar ótimas fotos com qualidade profissional usando a câmera do celular, o mesmo vale para vídeos!

ILUMINAÇÃO:

- Além das dicas sobre iluminação que já trouxemos anteriormente, vamos adicionar um ponto muito relevante para os vídeos: se você estiver gravando ao ar livre ou em ambiente fechado, mas utilizando luz natural, é importante estar atento às mudanças na iluminação ao longo do dia. Vamos supor que você esteja gravando um vídeo e faça takes diferentes ao longo do dia, que serão depois compilados em um único vídeo. Um take realizado exatamente no mesmo lugar e na mesma posição às 10h da manhã terá iluminação bem distinta de outro realizado às 15h – e isso será perceptível em seu vídeo. Portanto, tente gravar todos os takes em um período mais curto.

FUNDO:

- Um fundo harmonioso, que traga uma mensagem sem tirar o foco da pessoa que estiver falando, é superimportante para vídeos com entrevistas ou depoimentos. Se for gravar um vídeo em que você explica um procedimento estético realizado em sua clínica, aposte em um fundo neutro e que contenha alguns poucos elementos que, de forma discreta, remetam ao tema do vídeo. Para uma entrevista com um especialista em decoração, crie um cenário bonito, com elementos esteticamente bem-posicionados e que complementem a composição do entrevistador e entrevistado. O fundo do vídeo faz toda a diferença e estes são apenas dois exemplos.

ESTABILIDADE:

- Este é outro ponto essencial para os vídeos (e pode ser aplicado para fotos também). Ninguém merece assistir a um vídeo todo tremido em que as "chacoalhadas" chamam mais atenção do que o conteúdo, não é mesmo? Então, a regra de ouro é utilizar um tripé.

DIA OU NOITE?

Para produzir fotos ao ar livre e com iluminação natural, há dois momentos do dia que são considerados ideais e ambos levam o nome de *golden hour* ("hora dourada", em português): a primeira hora do dia a contar a partir do nascer do sol, e a última hora antes do pôr do sol. Se você quiser aproveitar a "hora dourada" para fazer uma foto ao ar livre, confira no dia anterior em sites de metereologia quais serão os horários específicos de nascer e pôr do sol, para estar preparado para fazer as fotos na hora certa.

E à noite, é possível tirar boas fotos ao ar livre, considerando a falta de iluminação? Sim! O importante é ajustar o tempo de exposição à luz e utilizar um estabilizador óptico. Felizmente, diversos celulares mais recentes já contam com essa função habilitada, ou seja, quando o aparelho identifica que há pouca luz, rapidamente ajusta a exposição e o estabilizador para facilitar o seu clique.

FERRAMENTAS QUE FAZEM DIFERENÇA

1 ADOBE SPARK POST

Quando lemos "Adobe" no nome de qualquer software, sabemos que há qualidade, porém também pensamos que é necessário ter bastante experiência para utilizar a ferramenta. No caso do Adobe Spark, não. A Adobe desenvolveu esse aplicativo justamente para quem precisa criar conteúdos para as redes sociais, mas não tem muita experiência com design. **Disponível para Android e iOS.**

2 ANIMOTO

A ferramenta oferece funcionalidades para criar um vídeo mais completo, com imagem, áudio e texto. Disponibiliza um banco de imagens e uma lista de músicas sem royalties para poder usar sem preocupação.

3 CANVA

O Canva é, sem dúvidas, um dos aplicativos de edição de fotos e criação de imagens mais famosos. Com centenas de templates disponíveis e muita facilidade para criar seus próprios layouts, a ferramenta é uma boa opção para quem precisa criar peças para todas as redes sociais, incluindo gifs. **Disponível para Android e iOS.**

4 EASEL.LY

Até agora falamos sobre imagens e vídeos bem-produzidos, mas, e os famosos infográficos? Podem não ser fáceis de produzir, mas trazem bastante impacto para os posts. A boa notícia é que há apps específicos para tornar essa tarefa bem mais simples, como o Easel.ly.

selly
Pricing · Getting Started · Contact Us · Create Your Free Account · Login
The free way to turn boring data into an engaging infographic
Before easelly · After easelly
Easelly is a simple infographic maker that lets you visualize any kind of information.

5 FASTORY

Como o nome já indica, esta ferramenta é ideal para criar Stories de forma simples e rápida. Considerando que hoje em dia as principais redes sociais contam com o recurso de Story, produzir boas peças para este fim é fundamental.
Disponível para Android e iOS.

6 INSHOT

O InShot também já se tornou bem famoso. O app é ideal para edição de fotos, colagens e vídeos. A opção gratuita oferece muitos bons recursos, mas impede que o usuário retire a marca d'água das peças. Portanto, quem quiser produzir bons vídeos e fotos com esse aplicativo deverá investir.
Disponível para Android e iOS.

FOTO: REPRODUÇÃO DA INTERNET

7 PICSART

O Picsart oferece bons recursos para edição de fotos, inclusive filtros como os do Instagram. Além dos templates disponíveis, você pode começar a criar seu próprio design do zero, já nas dimensões ideais para as redes sociais.
Disponível para Android e iOS.

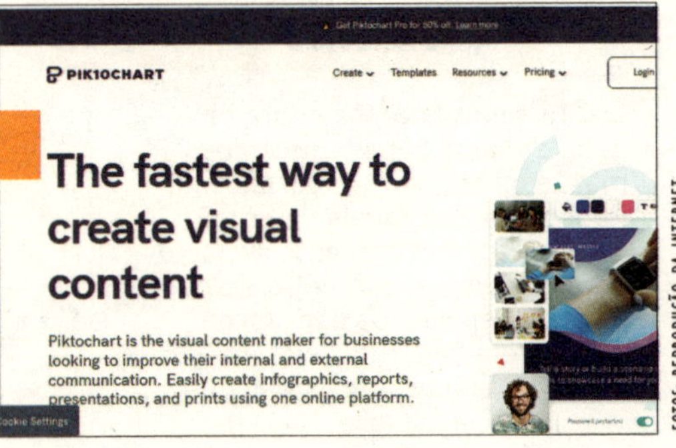

8 PIKTOCHART

Com esta ferramenta você pode criar rapidamente infográficos para postar em suas redes. Ah, e o melhor: o software é gratuito!

FOTOS: REPRODUÇÃO DA INTERNET

9 POWTOON

O Powtoon é uma ferramenta específica para a criação de vídeos animados, incluindo algumas opções gratuitas. O aplicativo é simples de usar, e você pode criar vídeos animados a partir de apresentações de slides.
Disponível para Android e iOS.

10 PROMO

O Promo também é um aplicativo para criação de vídeos e oferece uma seleção de imagens e áudios para montar seus clipes de forma simples e rápida.
Disponível para Android e iOS.

11 VENNGAGE

Mais uma ferramenta valiosa para quem quer criar bons infográficos para publicar nas redes sociais, o Venngage possui centenas de modelos de infográficos e apresentações disponíveis.

12 VISTACREATE

Antes conhecida como Crello, a ferramenta passou a se chamar VistaCreate e oferece aos usuários, de forma gratuita, diversos templates de imagens e animações. Assim como o Canva, é bem fácil de usar, inclusive pelo celular. **Disponível para Android e iOS.**

13 WAVE.VIDEO

A última ferramenta da nossa lista de apps para ajudar a criar bons vídeos e fotos para as redes sociais é o Wave.video. O software é superútil para criar vídeos de forma rápida e prática, e oferece diversas imagens e áudios para você utilizar em suas peças.

DICAS PARA TER UM NEGÓCIO DE SUCESSO

POR BÁRBARA RONCADA | IMAGENS: SHUTTERSTOCK

AGORA QUE VOCÊ JÁ CONHECE TÉCNICAS IMPORTANTES PARA EXPANDIR SUA PRESENÇA DIGITAL DE FORMA CONCISA E ESTRATÉGICA, É HORA DE APRENDER ALGUMAS **DICAS DE CONTEÚDO PARA CADA SEGMENTO DE NEGÓCIO**. VAMOS LÁ?

Se deixássemos de lado a palavra "digital" e pensássemos apenas no "marketing", uma das regrinhas de ouro nas estratégias de negócios seria a segmentação, ou seja, a definição detalhada do público-alvo de uma marca e/ou de uma ação de marketing específica, levando em consideração as informações demográficas como localização, idade, gênero, escolaridade ou informações do comportamento do público, como tipos de estabelecimento que costumeiramente frequenta e hábitos de consumo.

A essa altura você já deve ter lido sobre a segmentação e o estudo sobre o público-alvo em diversas matérias nos capítulos anteriores. E não é à toa! Pensemos o seguinte: adequar o plano e as estratégias de negócio para o segmento em que você atua é primordial no "marketing tradicional", e não seria diferente na versão on-line.

Para ajudar você na estratégia digital do seu negócio, separamos dicas importantes para ter sucesso com a sua página comercial no Facebook em diferentes segmentos de mercado, de bares a clínicas de estética, de confeitarias a corretoras de imóvel. Confira nas páginas a seguir!

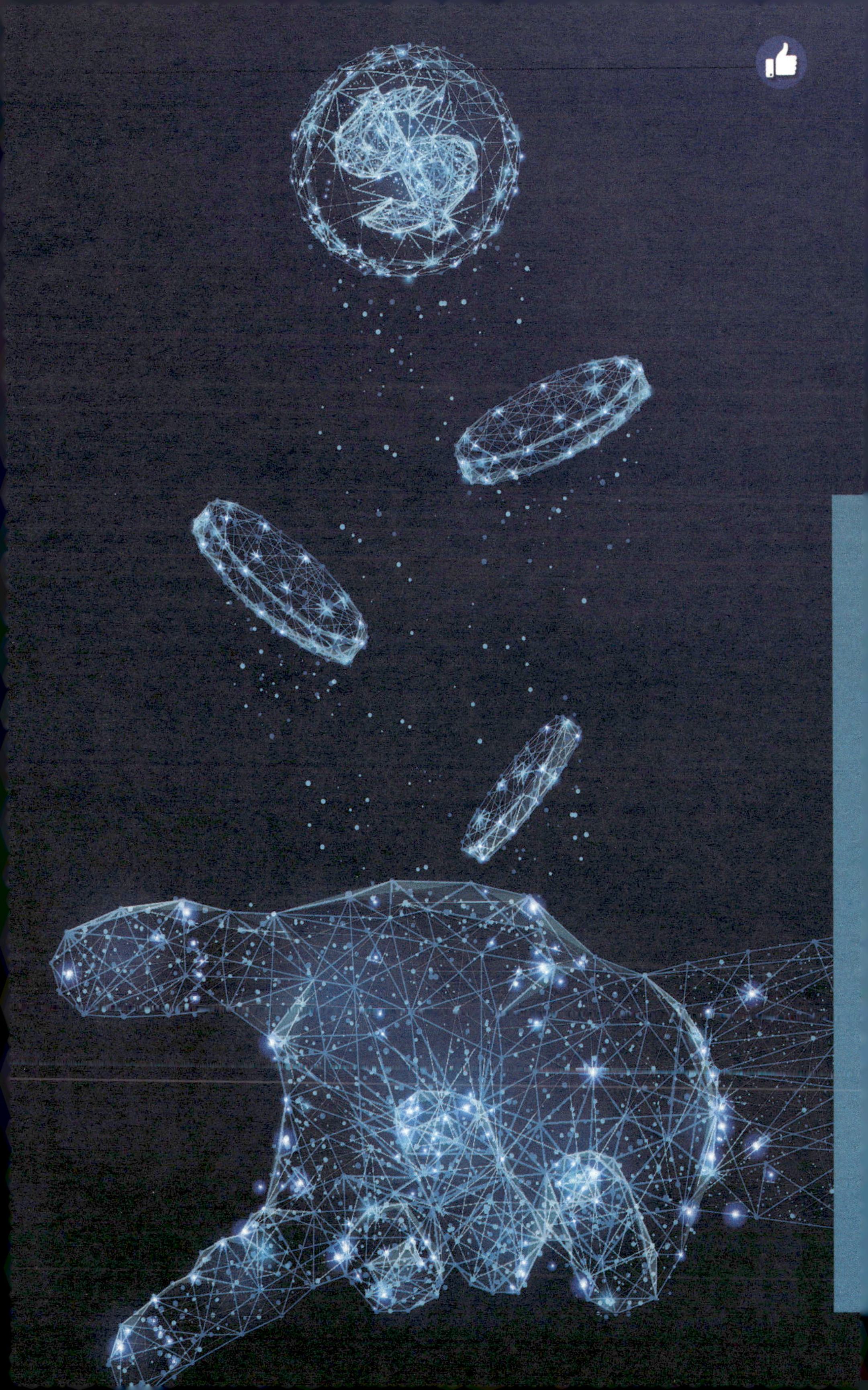

ADVOGADOS

Antes que você possa perguntar, a resposta é sim! Advogados e escritórios de advocacia podem investir em mídias sociais para atrair clientes. E a dica de ouro para este segmento é investir em conteúdos relevantes e informativos.

Você pode, por exemplo, criar uma série de conteúdos com definições jurídicas importantes, explicando termos bastante usados e informando os seus seguidores sobre temas que muita gente não sabe.

IDEIAS DE TEMAS QUE PODEM SER ABORDADOS:

- Diferenças entre casamento civil, união estável e contrato de namoro
- Diferenças entre os regimes de casamento
- Diferenças entre anulação de casamento e divórcio
- Direitos trabalhistas
- Direitos dos empregadores

Também vale fazer um post perguntando aos seguidores quais são as principais dúvidas que eles têm e fazer conteúdos explicando estes temas. É importante sempre adicionar o site ou algum meio de contato nas legendas dos posts, para facilitar que as pessoas entrem em contato com você.

ARTISTAS (ATORES E MÚSICOS)

Não é necessário dizer que as redes sociais são imprescindíveis para a divulgação de artistas hoje em dia, não é? Quantos são os músicos que nós conhecemos hoje que obtiveram sucesso e visibilidade após "viralizarem" com uma música na internet? E os atores que foram "descobertos" após postarem vídeos nas redes?

COM BASE NISSO, QUAIS CONTEÚDOS SÃO MAIS INTERESSANTES PARA ARTISTAS PUBLICAREM NAS REDES?

Música: É claro, músicos devem investir sim em publicar vídeos de músicas próprias e covers.
Humor: Quem não gosta de dar boas risadas vendo algum conteúdo engraçado na internet? O humor é hoje uma ótima alavanca para atrair seguidores.
Lifestyle: As pessoas adoram conhecer a rotina dos famosos e saber um pouco da vida das pessoas, pois isso torna as celebridades figuras mais "próximas". Então, perca a timidez e compartilhe um pouco da sua vida com seus seguidores.

Além disso, estamos na era das lives. Então, invista em shows e outros conteúdos ao vivo, de forma a interagir com seus seguidores e potencialmente expandir sua rede.

BARES, LANCHONETES E RESTAURANTES

Hummmm... Sabe aquelas fotos de pratos elaborados que dão água na boca quando passam na sua timeline no Facebook? Ou os drinks superdiferentes que dão vontade de conhecer o lugar só para poder experimentar? Para que bares, lanchonetes e restaurantes possam causar essa sensação nos seus seguidores, investir em uma boa estratégia de mídias sociais é superimportante.

SE VOCÊ É DONO DE UM DESTES ESTABELECIMENTOS, VEJA ALGUMAS DICAS DE PUBLICAÇÕES PARA O FACEBOOK:

- Promoções especiais para os clientes que virem suas publicações digitais, inclusive cupons exclusivos para quem clicar em um anúncio.
- Novidades do cardápio, com fotos dos pratos e bebidas.
- Agenda de eventos, atrações e shows ao vivo, quando aplicável.
- Fotos do local, como as instalações, a decoração e qualquer aspecto específico do seu estabelecimento que o diferencie dos demais.
- Conteúdos divertidos, como memes e vídeos engraçados. Esteja atento às tendências e o que o público mais comenta na internet e aproveite o momento.
- Avaliações positivas de clientes com uma notinha de agradecimento. Priorize o Story para esse tipo de publicação, em vez do feed.
- Aposte em publicações próximas ao horário do almoço ou jantar, pois são momentos em que as pessoas provavelmente estão com fome e buscando lugares para comer. Isso pode ajudar os clientes a se lembrarem dos seus anúncios mais tarde.

IMPORTANTE:

Sempre que fizer publicações e anúncios no Facebook, não deixe de incluir informações do seu estabelecimento: endereço, horário de atendimento, telefone e canais para pedir delivery, para facilitar que os usuários encontrem sua loja ou possam fazer o pedido em casa. Lembre-se: o objetivo é atrair os clientes e tornar o contato com a sua marca rápido e fácil.

CLÍNICAS DE ESTÉTICA E SALÕES DE BELEZA

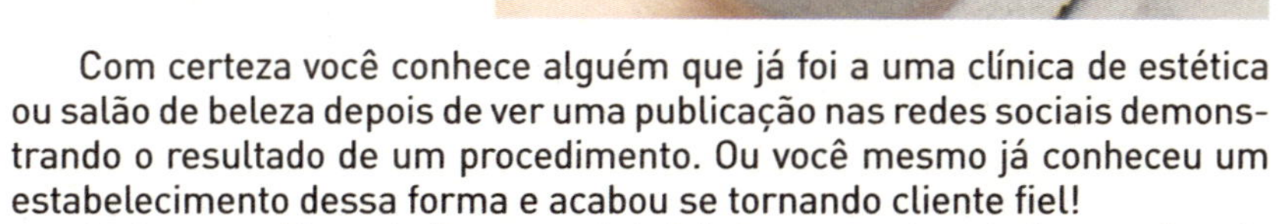

Com certeza você conhece alguém que já foi a uma clínica de estética ou salão de beleza depois de ver uma publicação nas redes sociais demonstrando o resultado de um procedimento. Ou você mesmo já conheceu um estabelecimento dessa forma e acabou se tornando cliente fiel!

As fotos e vídeos de "antes e depois" de cortes de cabelo, sessões de maquiagem, unhas, procedimentos estéticos faciais e outros serviços de beleza são famosas nas redes sociais e rendem popularidade – e muitos seguidores! – para as páginas que as publicam.

APOSTE TAMBÉM EM:

- Anúncios direcionando para o endereço do estabelecimento, a página na rede social ou site.
- Promoções especiais para os clientes que virem suas publicações digitais, como cupons exclusivos para quem clicar em um anúncio.
- Posts explicativos de diferentes procedimentos estéticos e serviços que o seu estabelecimento realiza, incluindo diferenças entre procedimentos e benefícios de realizar determinados tratamentos (por exemplo: Quais são as diferenças entre as unhas de gel, de vidro e de fibra? Em quais áreas do rosto pode ser aplicado botox? Quais os benefícios de realizar limpezas de pele periódicas?)
- Dicas de cuidados pessoais antes, depois ou durante tratamentos estéticos. Dicas de skincare e haircare estão em alta!
- Depoimentos e avaliações de clientes. Priorize o Story para isso.
- Republicar posts dos clientes nos perfis deles em seu Story. Isso ajudará outros clientes a verem resultados reais, aumentará a credibilidade do seu negócio e ainda fará o cliente se sentir valorizado por ter sua postagem republicada.

DICA:

Telefone para contato, canal para agendamento e localização devem estar sempre presentes e atualizados nos posts!

CLÍNICAS VETERINÁRIAS E PET SHOPS

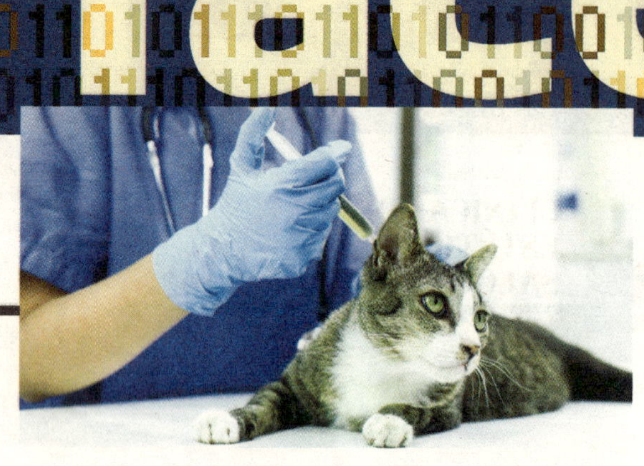

O mercado de produtos e serviços para pets está superaquecido – e a tendência é continuar! Se os cachorros, gatos e outros bichos de estimação são sucesso nos vídeos e fotos nas redes sociais, eles também figuram um importante espaço na mente do consumidor, que está disposto a investir bastante no conforto e bem-estar dos seus bichinhos. Selecionamos, então, algumas dicas para clínicas veterinárias e pet shops. Afinal, quem está buscando um lugar para tratar do seu bichinho, preza por qualidade, profissionalismo, bom atendimento e cuidados especiais com os pets. E a página de uma clínica veterinária deve mostrar cada um desses pontos – e talvez alguns adicionais.

INVISTA EM POSTS COMO:

- Sobre cirurgias comuns em pets, como castração, explicando os benefícios e as situações em que se deve optar por esse tipo de procedimento cirúrgico.
- Sobre as vacinas que os pets devem tomar, principalmente se a sua clínica oferecer este serviço.
- Dicas de cuidado com os bichinhos, desde alimentação adequada a como interagir com eles.
- Novidades importantes do mundo da pesquisa, como novos estudos publicados em revistas científicas.

Pet shops, além das publicações informativas mencionadas nas dicas para clínicas veterinárias, podem apostar em:

- Divulgação de catálogos de produtos com preços.
- Tutoriais de uso e montagem de produtos.
- Promoções especiais para clientes que comprarem produtos em sua loja virtual no Facebook, na sua plataforma de e-commerce ou que virem suas publicações digitais.

DICA:

Aposte em vídeos e fotos de bichinhos: eles são campeões de popularidade na internet!

book®

CONFEITARIAS

MasterChef, Bake Off, Mestre do Sabor, BBQ... São tantos os programas de culinária e gastronomia disponíveis na TV aberta, canais fechados ou plataformas de streamimg no Brasil que fica fácil identificar que o assunto é de interesse de muita gente, não é? E nas redes sociais não faltam fotos de bolos, doces, pães, tortas, pratos elaborados feitos em casa ou preparados por grandes chefs em restaurantes famosos. OK, mas por que estamos mencionando tudo isso? Para mostrar que o mercado para confeitarias na internet é cheio de oportunidades!

DICAS PARA BOMBAR A SUA PÁGINA NO FACEBOOK E ATRAIR MAIS SEGUIDORES E CLIENTES:

- Fotos, fotos e mais fotos dos seus produtos! E vídeos também, é claro! Quem não gosta de ver fotos de pratos apetitosos?
- Fotos e vídeos bem produzidos atraem a atenção dos seus seguidores e podem ajudar a atrair clientes.
- Conteúdos engraçados e que gerem engajamento na rede, como, por exemplo: "Marque um amigo para ele ficar te devendo um pedaço desse maravilhoso bolo de cenoura".
- Promoções especiais para os clientes que virem suas publicações digitais, inclusive cupons exclusivos para quem clicar em um anúncio, por exemplo.
- Avaliações positivas de clientes com uma notinha de agradecimento. Priorize o Story para esse tipo de publicação, em vez de publicações na linha do tempo.
- Não se esqueça daquela dica importante de manter a localização e os contatos do seu estabelecimento nos posts, para facilitar que os seguidores encontrem você!

DICA:

Invista em criatividade e boas fotos, interaja com o público e use e abuse dos anúncios!

CONSULTÓRIOS MÉDICOS E ODONTOLÓGICOS

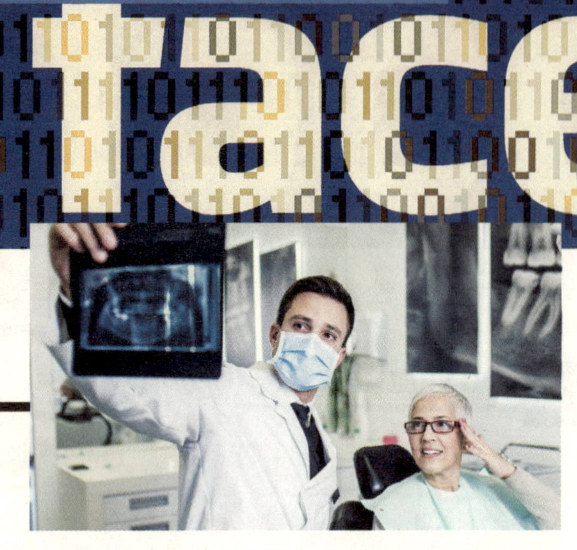

Imagine-se na seguinte situação: você está procurando um especialista em pediatria para o seu filho, mas não quer buscar pela rede credenciada do convênio, então faz uma busca na internet. Quais aspectos você iria avaliar na página de Facebook de um consultório? Credibilidade, referência na especialidade (neste exemplo, em pediatria), cuidado e atenção especial com o paciente, entre outros elementos, não é verdade? Então, se você tem um consultório médico ou odontológico, precisa garantir que a sua página no Facebook demonstre tudo isso!

SUGESTÕES DE CONTEÚDO PARA AS REDES SOCIAIS:

- Conteúdos informativos sobre as principais doenças relacionadas à sua especialidade e medidas preventivas (quando houver).
- Dicas de autocuidado.
- Dicas para identificar possíveis quadros sintomáticos, como diferenciar doenças similares (resfriado e gripe, por exemplo) e, principalmente, quando é necessário buscar atendimento médico.
- Respostas para as perguntas mais frequentes dos pacientes.
- Uma sugestão é realizar um post pedindo aos seus seguidores que compartilhem suas principais dúvidas, e posteriormente publicar um vídeo ou texto com as respostas para as melhores (ou mais frequentes) perguntas.
- Publicações sobre as instalações do consultório e o seu diferencial. Se for uma clínica com diferentes especialidades, não deixe de fazer publicações que ilustrem esse fator diferencial!

ATENÇÃO:

Como os conteúdos sobre medicina e odontologia podem ser mais densos, uma boa dica é produzir vídeos informativos. É importante adicionar o site ou informações de contato nos posts.

CORRETORES DE IMÓVEIS

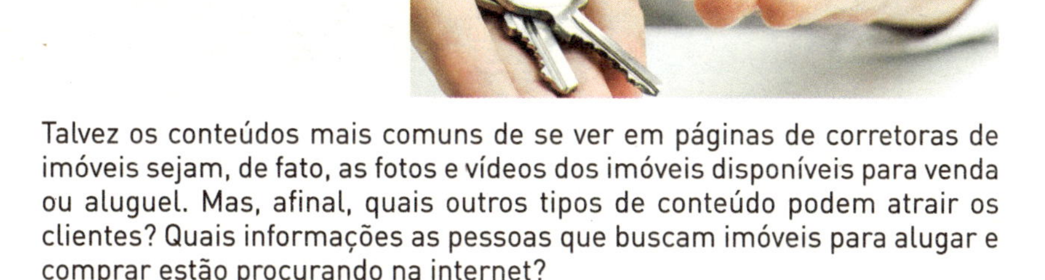

Talvez os conteúdos mais comuns de se ver em páginas de corretoras de imóveis sejam, de fato, as fotos e vídeos dos imóveis disponíveis para venda ou aluguel. Mas, afinal, quais outros tipos de conteúdo podem atrair os clientes? Quais informações as pessoas que buscam imóveis para alugar e comprar estão procurando na internet?

EXEMPLOS DE PUBLICAÇÕES QUE PODEM AJUDAR VOCÊ A ATRAIR SEGUIDORES E FUTUROS CLIENTES:

- Dicas de arquitetura e decoração, principalmente vídeos e fotos bem produzidos. Para quem está procurando um novo imóvel – ou simplesmente para quem gosta do tema –, nada melhor do que dicas valiosas para aproveitar melhor os espaços, como decorar diferentes ambientes e pontos de atenção para quem está construindo e reformando.
- Itens que merecem atenção na hora de vender, comprar ou alugar um imóvel, como estado de conservação do local, móveis e utensílios locados, segurança da região onde o imóvel está localizado, conveniência do bairro,entre outros.
- Publicações informativas sobre os direitos dos locatários e dos locadores de imóveis, como responsabilidade por danos ao imóvel, pagamento de despesas condominiais, pagamento de impostos estaduais e municipais, entre outros.

Para as publicações sobre os imóveis para aluguel ou venda, que tal produzir um bom vídeo em estilo "tour" pelo local? Esse tipo de post causa uma sensação agradável de estar dentro do ambiente e conhecer cada pedacinho de forma mais real do que por fotos.

DICA:

Assim como em todos os segmentos, é superimportante investir em conteúdos relevantes, fotos e vídeos bem-produzidos e anúncios!

DELIVERY

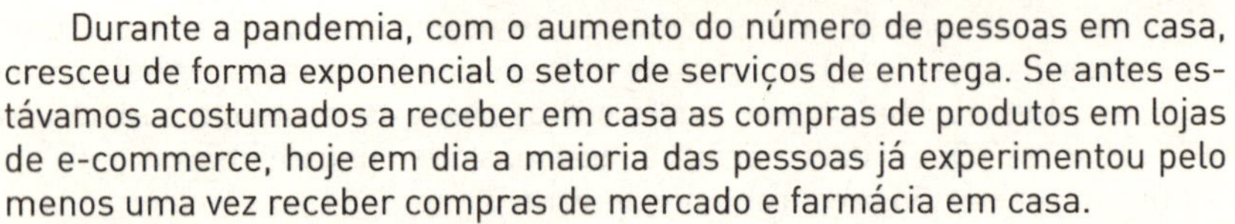

Durante a pandemia, com o aumento do número de pessoas em casa, cresceu de forma exponencial o setor de serviços de entrega. Se antes estávamos acostumados a receber em casa as compras de produtos em lojas de e-commerce, hoje em dia a maioria das pessoas já experimentou pelo menos uma vez receber compras de mercado e farmácia em casa.

Este "boom" no setor de entregas em domicílio abriu muitas oportunidades para quem oferece este tipo serviço, então este é o momento ideal para investir em uma boa estratégia digital e sair na frente em um mercado bastante competitivo.

Se você tem uma empresa de delivery ou oferece o serviço de forma autônoma, pode usar e abusar dos anúncios nas redes sociais para atrair potenciais clientes na região em que atua.

DICAS DE PUBLICAÇÕES PARA VOCÊ INVESTIR:

- Especificações dos tipos de entrega que a sua empresa realiza – tamanho, tipo de produto, se a entrega é realizada por automóveis, motocicletas, bicicletas etc.
- Região em que atua, ou seja, em quais bairros da cidade você realiza entregas.
- Memes e posts divertidos sobre os serviços de entrega e a facilidade que eles trazem para a vida das pessoas, por exemplo: "10 coisas a mais que você pode fazer hoje se realizar sua compra de mercado por delivery em vez de ir pessoalmente".

ATENÇÃO!

Para quem realiza serviços de entrega, é importante definir de forma bem granular a localização do público-alvo dos anúncios no Facebook, afinal você quer atrair clientes dentro da área em que atende, certo?

E-COMMERCE

O e-commerce foi um dos segmentos que mais cresceu durante o período de pandemia. Os clientes estão apostando na facilidade de realizar compras on-line e receber em casa, sem preocupações e sem precisar se deslocar até uma loja física. Esse serviço é, por natureza, em ambiente digital, então por que não aproveitar esse aspecto para estar ainda mais presente na vida dos clientes por meio de uma boa estratégia nas redes sociais?

DICAS VALIOSAS PARA DONOS DE E-COMMERCE EXPLORAREM NO FACEBOOK:

- Além do seu próprio site ou do market place em que você vende os produtos de forma digital, não deixe de criar uma loja virtual no Facebook. Lá você pode expor os produtos com preços e direcionar os clientes a realizarem o checkout em seu site, por exemplo. No Facebook você também pode criar catálogos de produtos on-line.
- Invista nos anúncios! Se você aposta em anúncios no Google, por que não faria o mesmo no Facebook?
- Faça publicações com demonstrações de uso e tutorial de montagem dos produtos que você vende.
- Faça publicações com dicas de presente em datas especiais, como Natal, Dia das Mães e Dias das Crianças. Nessas ocasiões, também é indicado realizar promoções aos clientes para aumentar as vendas!
- Você também pode criar promoções e sorteios para os usuários que marcarem amigos nas publicações – esse tipo de post geralmente garante bastante engajamento na rede!

DICA:

A loja virtual do Facebook é simples de criar e é uma excelente aliada para quem faz vendas on-line! Adicione seus produtos e redirecione os clientes para finalizarem a compra em seu site próprio.

EDUCAÇÃO E CURSOS

Outro segmento que requer conteúdos relevantes, bem-produzidos e que transmitam autoridade no assunto que está sendo tratado é o segmento de educação. Vamos falar primeiramente sobre as escolas e universidades: a dica de ouro é demonstrar aos alunos (ou pais de alunos, no caso do ensino básico) que a sua instituição de ensino é referência e tem credibilidade.

VEJA ALGUNS EXEMPLOS DE CONTEÚDOS RELEVANTES PARA AS ESCOLAS:

- Fotos das instalações da instituição que oferece os cursos, incluindo informações descritivas sobre a estrutura da escola, como laboratórios de informática, quadras de esportes, biblioteca etc.
- Informativos sobre os cursos oferecidos pela universidade ou os graus de ensino, no caso de escolas, bem como facilidades de pagamento e planos de investimento nos estudos.
- Depoimentos de alunos ou ex-alunos da escola ou universidade.

Agora, falando sobre os professores autônomos que utilizam as redes sociais para oferecer serviços de aulas participares presenciais ou on-line.

- Para cursos oferecidos de forma presencial, podem falar sobre as instalações da escola ou do ambiente em que atuam.
- Para cursos oferecidos de forma virtual, o ideal é descrever as facilidades e os recursos oferecidos, como os módulos do programa, se há certificação, se a plataforma é de fácil acesso e uso, entre outros.

ATENÇÃO!

Se você deseja divulgar uma escola física ou cursos oferecidos de forma presencial, adicione a localização da instituição de ensino em suas publicações. Para divulgação de cursos on-line, é imprescindível que os seguidores tenham fácil acesso ao link de inscrição!

FOTÓGRAFOS

Nos capítulos anteriores, falamos em diversos momentos sobre a importância de garantir alta qualidade e estética agradável em imagens e vídeos publicados nas redes sociais para atrair seguidores e possíveis novos clientes. Então, não seria surpreendente dizer que para o segmento de fotografia esse aspecto ganha uma relevância ainda maior.

Os fotógrafos podem apostar no Facebook para divulgar seus trabalhos, mostrar o tipo de ensaio e cobertura de eventos que realizam e dar dicas de fotografia para amadores, provando que são verdadeiros experts no assunto.

DICAS DE PUBLICAÇÕES PARA FOTÓGRAFOS INVESTIREM E BOMBAREM NAS REDES SOCIAIS!

- Coleção de fotos de ensaios realizados.
- Citações e frases com boas fotos "conceituais". Esse tipo de publicação costuma gerar bastante engajamento nas redes sociais.
- Promoções e sorteios para os usuários que comentarem e marcarem amigos nos posts.
- Fotos feitas por você em momentos de lazer, ou seja, que não sejam trabalhos realizados para clientes. As pessoas podem se interessar pelo trabalho ao ver a versatilidade de seus cliques.
- Nem precisamos falar que a estética das páginas de fotógrafos deve ser impecável, não é?

Fotógrafos que oferecem cursos para outros profissionais também podem investir na divulgação do seu trabalho, incluindo publicações sobre as instalações onde as aulas são realizadas, depoimentos de ex-alunos e dicas de fotografia para quem está iniciando.

DICA:

Adicione a sua marca d'água em todas as suas fotos autorais, de forma que a sua marca seja facilmente reconhecida mesmo que a foto esteja "espalhada" pela rede.

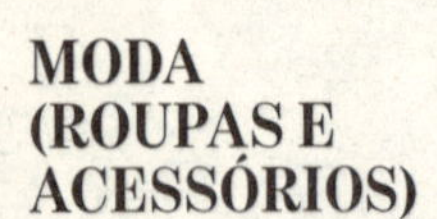

MODA (ROUPAS E ACESSÓRIOS)

Fotos, fotos e mais fotos! Ah, e muitos vídeos superproduzidos, é claro! Para quem tem um canal de moda, ou uma loja física e/ou virtual de roupas e acessórios, investir em boas imagens de divulgação e manter uma identidade visual clara em todos os posts é uma das peças-chave para obter sucesso, atrair seguidores e potenciais clientes.

APOSTE EM TIPOS DE CONTEÚDO PARA FACEBOOK QUE PODEM AJUDAR VOCÊ A LEVAR A SUA PÁGINA PARA O PRÓXIMO NÍVEL E AUMENTAR AS SUAS VENDAS:

- Fotos de looks montados com as peças da sua loja, incluindo diferentes composições com uma mesma peça para demonstrar versatilidade (combina com todo mundo!) e autenticidade (você faz o seu estilo!).
- Dicas de moda, como regras básicas para acessórios, looks apropriados para diferentes eventos e ocasiões, peças curinga que todos devem ter no guarda-roupa, gafes para não cometer na hora de montar um look, entre outros.
- Acompanhe as tendências de moda dos principais festivais e grandes marcas e faça publicações informativas sobre o tema. Isso demonstrará aos seus seguidores e clientes que você entende do assunto!
- Promoções especiais para os clientes que virem suas publicações digitais, inclusive cupons exclusivos para quem clicar em um anúncio, por exemplo.
- Fotos de clientes utilizando as peças da sua loja com uma notinha de agradecimento. Mas priorize o Story para esse tipo de publicação.

DICA:

As páginas de moda devem ter uma ótima estética, então invista em boas fotos e vídeos e mantenha uma unidade em sua identidade visual.

PAPELARIAS E LOJAS DE EMBALAGENS DESCARTÁVEIS

As papelarias são um sonho para quem gosta de materiais escolares e de escritórios. Papéis coloridos, cadernos e blocos de diferentes tamanhos e formatos, tesouras com cortes artísticos, caixas de lápis de cor com mais de 60 opções de cores, pastas de todos os tipos, blocos adesivos, uma infinidade de modelos de canetas... Já conseguiu se imaginar em um local como estes? Pois é, o desafio é replicar essa sensação no ambiente virtual.

DICAS PARA QUEM É DONO DE PAPELARIAS E TAMBÉM DE LOJAS DE EMBALAGENS DESCARTÁVEIS PARA APRIMORAR O CRONOGRAMA DE PUBLICAÇÕES NO FACEBOOK:

- Invista em uma loja virtual e um catálogo de produtos. É muito fácil usar estes recursos do Facebook para gerar mais vendas e tráfego para o seu site.
- Crie promoções e sorteios para os usuários que marcarem amigos nas publicações – esse tipo de post geralmente garante bastante engajamento na rede!
- Aposte naquilo que é tendência! Por exemplo, os planners estão em alta, então faça posts sobre esse assunto, divulgando opções de produtos que você tem em sua loja.
- O tema das embalagens descartáveis dá o que falar. Que tal investir em publicações sobre opções mais sustentáveis da sua linha de produtos?
- Anúncios, anúncios e mais anúncios. Já falamos em anúncios? Pois é, hoje em dia não há como falar em vendas on-line sem falar em anúncios. Então, aposte em segmentar o público das peças, invista em bons conteúdos e atraia os clientes.

DICA:

A loja virtual do Facebook é simples de criar e é uma excelente aliada para quem realiza vendas on-line! Adicione seus produtos e redirecione os clientes para finalizarem a compra em seu site próprio.

PRESTADORES DE SERVIÇOS

As redes sociais devem entrar na estratégia de divulgação de quem não vende produtos, e sim serviços? É claro que sim! As redes sociais servem, e muito, para divulgar o trabalho de prestador de serviços e são parte importante da estratégia de marketing digital.

Se você é um prestador de serviços e quer se tornar mais conhecido na região em que atua, aposte em boas publicações no Facebook.

VEJA ESSAS DICAS:

- Faça publicações informativas sobre os serviços que você oferece.
- Deixe que os seus clientes saibam qual é o seu diferencial! Se for o prazo de conclusão, faça publicações que enalteçam essa característica. Se for o preço em relação ao praticado na sua região, comente sobre este aspecto em suas publicações.
- Publique fotos e vídeos de serviços concluídos.
- Compartilhe informações e notícias relevantes do segmento de mercado em que você atua.
- Republique no Story avaliações positivas de clientes com uma nota de agradecimento.
- Se você presta serviços, precisa se tornar conhecido na região em que atua. Que tal explorar as redes sociais para isso? Você pode divulgar os serviços que realiza, publicar conteúdos referentes ao segmento que atua, interagir com o público e oferecer orçamentos para quem entrar em contato.
- É importante delimitar bem a localização geográfica que você quer atingir com seus anúncios, para que consiga atrair potenciais clientes de fato.

ATENÇÃO!

Quem presta serviços deve definir de forma objetiva a localização do público-alvo dos anúncios no Facebook, para você atrair clientes dentro da área que atende.

VENDEDORES INDEPENDENTES E MICROEMPREENDEDORES

Microeemprendedores, chegou a hora de falar diretamente com vocês! Donos de pequenos negócios, como lojas, padarias ou farmácias de bairro, muitas vezes se perguntam se devem investir tempo e dinheiro em expandir a presença digital nas redes sociais. A resposta é: com certeza!

Pode parecer paradoxal, mas uma boa estratégia para os microeemprendedores é usar as redes sociais para se aproximar virtualmente dos clientes que já estão fisicamente próximos e mostrar a eles que tudo o que precisam está disponível pertinho de casa!

Uma boa estratégia de mídias sociais focada na região em que a sua loja está localizada pode ajudar a atrair clientes. E, se ao chegarem ao estabelecimento e tiverem uma boa experiência de compra, certamente as pessoas irão voltar mais vezes e até comentar com os vizinhos.

Se é um vendedor independente/autônomo, também pode utilizar as redes sociais para divulgar seu catálogo de produtos, oferecer seus serviços e fazer contato com comércios da região, que potencialmente podem se interessar em realizar parcerias com você.

DICAS DE SUCESSO:

- Foque em falar diretamente com o público da sua reqião, com anúncios direcionados e conteúdos relevantes para quem mora ou trabalha perto de onde está localizada a sua loja ou nas redondezas de onde você atua como vendedor.
- Quanto aos conteúdos das suas publicações, não deixe de investir em catálogo de produtos, tutoriais de uso e montagem de produtos e dicas de acordo com a linha de produtos com que você trabalha.

ATENÇÃO!

É importante definir de forma bem granular a localização do público-alvo dos anúncios no Facebook, afinal você quer atrair clientes dentro da área que você atua, não é mesmo?

RUMO AO TOPO!

POR BÁRBARA RONCADA | IMAGENS: SHUTTERSTOCK

SELECIONAMOS **10 CASOS DE SUCESSO** DE EMPRESAS QUE APOSTARAM EM DIFERENTES ESTRATÉGIAS DE FACEBOOK MARKETING PARA LEVAR SUAS CAMPANHAS A UM OUTRO NÍVEL E ATRAIR MAIS CLIENTES

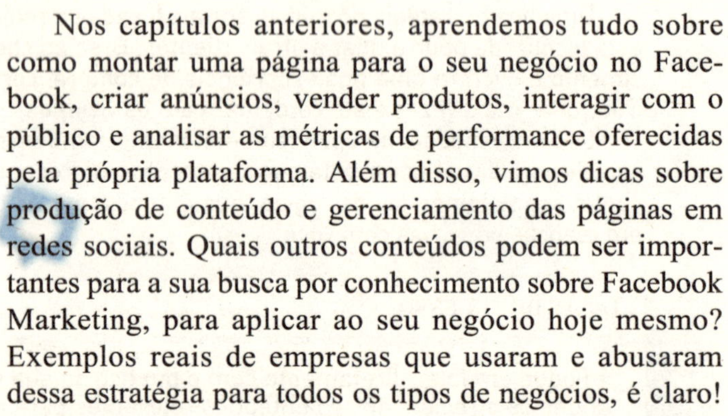

Nos capítulos anteriores, aprendemos tudo sobre como montar uma página para o seu negócio no Facebook, criar anúncios, vender produtos, interagir com o público e analisar as métricas de performance oferecidas pela própria plataforma. Além disso, vimos dicas sobre produção de conteúdo e gerenciamento das páginas em redes sociais. Quais outros conteúdos podem ser importantes para a sua busca por conhecimento sobre Facebook Marketing, para aplicar ao seu negócio hoje mesmo? Exemplos reais de empresas que usaram e abusaram dessa estratégia para todos os tipos de negócios, é claro!

Para inspirar você e o seu negócio, selecionamos 10 casos de sucesso de empresas que apostaram em diferentes estratégias de Facebook Marketing para levar suas campanhas ao próximo nível e atrair mais clientes. Você irá perceber que, em cada caso, os objetivos da marca e as ferramentas escolhidas são distintas, o que demonstra ainda mais a versatilidade do Facebook. Quem sabe você não identifica alguma situação similar à sua? Veja nas próximas páginas! Estes e outros casos estão disponíveis no site do Facebook.

100%

AGZERO

Página no Facebook: **SouAgZero**
Categoria de página: Serviço financeiro

O Banco Safra criou em 2021 um novo banco digital: o AgZero, com a proposta de aliar a segurança das transações do Safra com a facilidade dos serviços financeiros digitais disponíveis em aplicativo de celular, sem mensalidades ou tarifas. O plano de marketing digital tinha dois grandes objetivos: tornar a nova marca conhecida, ou seja, atrair potenciais clientes, e conseguir converter essa impressão em abertura de contas.

Para isso, uma das estratégias utilizadas foi a automatização de anúncios no Facebook, que utiliza as informações de tráfego dos usuários do aplicativo da AgZero para definir quais as pessoas certas para oferecer os anúncios e, mais do que isso, o posicionamento – seja no Facebook, no Story do Instagram ou outros tipos de anúncio oferecidos pela plataforma. 75% dos anúncios estavam no formato vídeo, seguindo a tendência de consumo de vídeos em redes sociais.

De acordo com os estudos da AgZero, a estratégia de automatização de anúncios garantiu que as peças de marketing fossem entregues ao público certo na hora certa.

FOTOS: REPRODUÇÃO DA INTERNET

Saiba mais em: https://www.facebook.com/business/success/agzero

RESULTADO DA AUTOMATIZAÇÃO DE ANÚNCIOS DE APLICATIVOS

- 18,7% mais aberturas incrementais de contas
- 21,9%mais solicitações incrementais de abertura de contas
- 31,1% mais instalações incrementais de aplicativo

Fonte: Facebook Business

BEBÊ BOM DE GARFO

Página no Facebook: **bebebomdegarfo**
Categoria de página: Blogueiro

Milene Henriques é uma mãe e nutricionista que oferece aulas on-line com formas práticas de ajudar os pais de crianças de até 5 anos que não se alimentam bem. A empresa responsável pelos anúncios da marca Bebê Bom de Garfo considerava como métrica de conversão o último clique dado pelo usuário, ou seja, o momento em que ele clicava em um anúncio que o levava para o site, onde realizava a compra do curso on-line.

Contudo, essa estratégia não possibilita a mensuração do impacto dos anúncios no longo prazo. Ou seja, quais foram as etapas realizadas antes do último clique para a conversão em venda do curso? Para essa análise, foi realizado um estudo com dois grupos: um de teste, que foi impactado pelos anúncios, e um que não foi. Todas as matrículas (ou vendas do curso) realizadas por alguém que viu os anúncios poderiam ser atribuídas aos anúncios veiculados no Facebook. Dessa forma, a empresa pode verificar o impacto da estratégia de Facebook Marketing. Para esta campanha, a marca investiu mais em conteúdos estáticos (imagens).

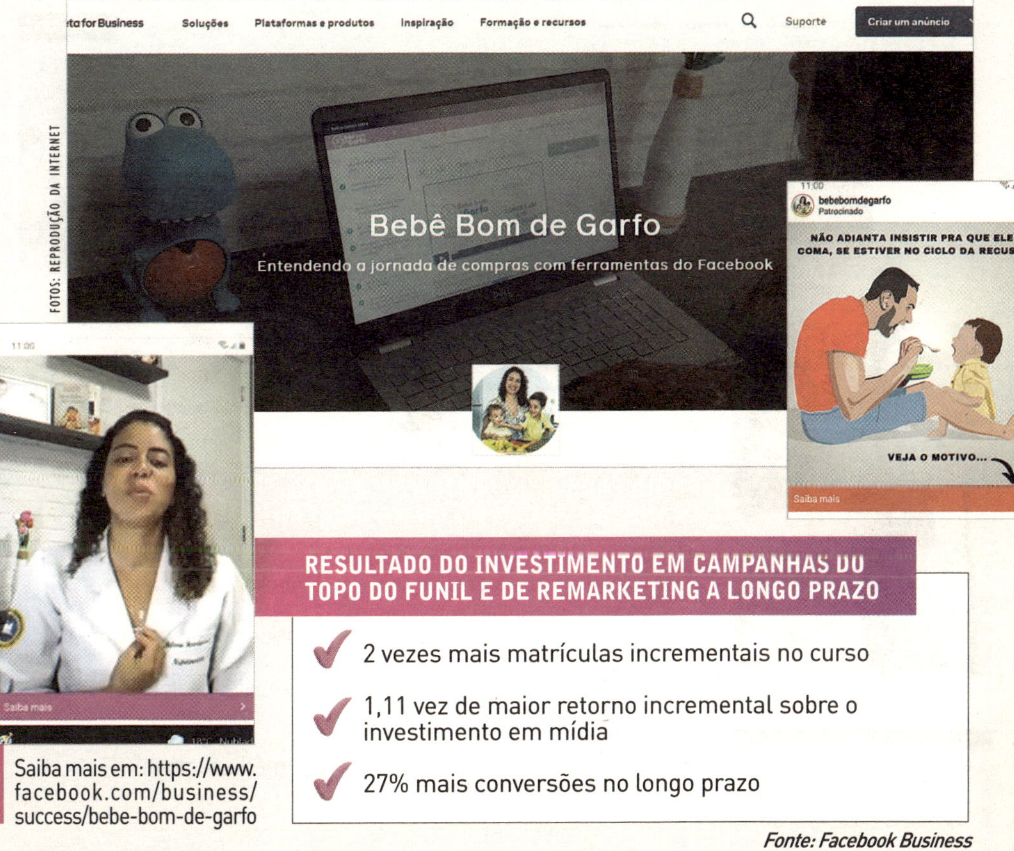

FOTOS: REPRODUÇÃO DA INTERNET

Saiba mais em: https://www.facebook.com/business/success/bebe-bom-de-garfo

RESULTADO DO INVESTIMENTO EM CAMPANHAS DO TOPO DO FUNIL E DE REMARKETING A LONGO PRAZO

- 2 vezes mais matrículas incrementais no curso
- 1,11 vez de maior retorno incremental sobre o investimento em mídia
- 27% mais conversões no longo prazo

Fonte: Facebook Business

CASAS BAHIA

Página no Facebook: **CasasBahia**
Categoria de página: Empresa de varejo

Quando se fala em Casas Bahia, uma das primeiras imagens que vem à cabeça é a do mascote da marca, o Baianinho. O personagem, sempre retratado como uma criança usando chapéu de cangaceiro, sofreu diversas modificações desde sua criação nos anos 1970, mas a mais recente foi uma repaginação: a criança cresceu, se tornou adolescente e adotou o nome de CB.

Como apresentá-lo ao público sem causar estranhamento ou dar a impressão de que a empresa estava mudando? Com um bom storytelling, ou narrativa. Por meio de anúncios veiculados no Facebook e uma Live, a Casas Bahia apresentou aos brasileiros a evolução do Baianinho até os dias de hoje, coincidindo com a presença da marca em cada canto do Brasil, e reafirmando que a principal característica seria mantida: o bom relacionamento com o cliente.

A marca aproveitou a campanha para reafirmar compromissos com a sustentabilidade e a responsabilidade social. Entre os resultados, a lembrança de anúncio dessa campanha foi 3,4 vezes maior que a média da América Latina.

FOTOS: REPRODUÇÃO DA INTERNET

RESULTADO DA APRESENTAÇÃO DA TRANSFORMAÇÃO DO CB NA CAMPANHA

- ✓ 21,9 pontos incrementais em lembrança de anúncio
- ✓ 8,2 pontos incrementais em reconhecimento de campanha
- ✓ 7,1 pontos incrementais1 em favorabilidade sobre o novo personagem
- ✓ 9 vezes mais favorabilidade que a média regional da América Latina

Fonte: Facebook Business

Saiba mais em: https://www.facebook.com/business/success/6-casas-bahia#

CLOSEUP

Página no Facebook: **Closeup**
Categoria de página: Produto/serviço

Em campanha para o mês do Orgulho LGBTQIA+ (junho), a Closeup utilizou a ferramenta de bot do Messenger para divulgar aos usuários um novo filtro para fotos que adicionava um coração ao redor do rosto da pessoa ao apontar a câmera. Quando havia duas pessoas na frente da câmera, o coração se expandia nas cores do arco-íris.

As fotos das pessoas com o filtro eram compartilhadas com a empresa (com autorização dos usuários) e se tornavam novos anúncios para outros usuários, promovendo a campanha #AmorLivre. A Closeup também utilizou o recurso de posicionamento de anúncios, que promove cada peça para cada usuário no local que o algoritmo identifica como ideal.

Um total de 15% das pessoas que usaram o filtro apresentado via bot do Messenger enviaram suas fotos e permitiram a criação dos anúncios, e a campanha atingiu milhões de pessoas.

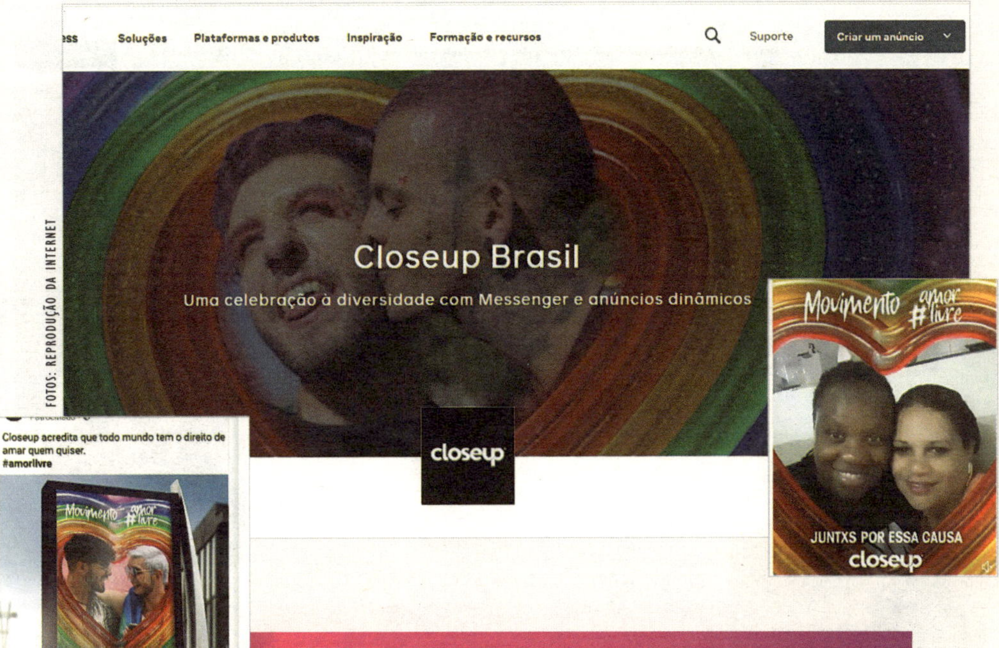

FOTOS: REPRODUÇÃO DA INTERNET

RESULTADOS DA CAMPANHA #AMORLIVRE EM CELEBRAÇÃO DA DIVERSIDADE

- ✔ 15% do público no Messenger enviou fotos e autorizou o uso como parte da campanha
- ✔ 9 pontos incrementais em associação de mensagem
- ✔ 3 pontos incrementais em lembrança de marca

Fonte: Facebook Business

Saiba mais em: https://www.facebook.com/business/success/closeup-brasil

HONDA

Página no Facebook: **HondaMotosBr**
Categoria de página: Fabricante de motocicletas

A Honda é uma renomada montadora japonesa presente no Brasil desde o início dos anos 1970 e dispensa apresentações. Para a campanha de lançamento da nova Scooter Honda ADV, a empresa resolveu apostar na diversidade de gênero em suas peças, e foi um tiro certo.

Para medir a efetividade da representatividade feminina na campanha, o público-alvo foi dividido em dois grupos: o primeiro recebeu apenas anúncios com um protagonista homem, enquanto o segundo grupo recebeu anúncios com personagens femininos e masculinos. Na comparação dos resultados, a campanha com representatividade dos dois gêneros gerou maior lembrança de anúncio e intenção de compra do que a campanha que apenas representava o público masculino. Essa ação provou para a Honda que a representatividade feminina nas campanhas é muito relevante para o sucesso do negócio.

FOTOS: REPRODUÇÃO DA INTERNET

Saiba mais em: https://www.facebook.com/business/success/2-honda-motos-brasil

RESULTADO DA CAMPANHA COM MULHER E HOMEM PILOTANDO A MOTO DA MARCA

- 3,6 pontos incrementais em intenção de compra na campanha diversa
- 5,9 pontos incrementais em lembrança dos anúncios na campanha diversa
- 1,3 vezes mais intenção de compra na campanha diversa

Fonte: Facebook Business

INTIMUS

Página no Facebook: **Intimus**
Categoria de página: Saúde/Beleza

A Intimus atua no mercado brasileiro desde 1993 com produtos de saúde e beleza voltados para o público feminino. Em campanha para o Dia Internacional da Mulher, 8 de março, a campanha #ChegadeEstigma da marca convidou homens e mulheres a refletirem sobre a forma como associam comportamentos das mulheres ao período menstrual.

A Intimus veiculou via Facebook e Instagram anúncios em vídeo com depoimentos de mulheres sobre o tema e frases como "Chega de estereotipar a mulher por causa da menstruação" tanto para homens quanto para mulheres, para convidar todos a refletirem e mudarem de atitude.

Parte importante da estratégia da campanha foi também garantir representatividade, sobretudo de raça. Garantir a diversidade das personagens da campanha foi fundamental para aumentar a lembrança de campanha e o reconhecimento de marca.

FOTOS: REPRODUÇÃO DA INTERNET

Saiba mais em: https://www.facebook.com/business/success/2-intimus

RESULTADO DOS ANÚNCIOS COM MAIS DIVERSIDADE E REPRESENTATIVIDADE

- 10,3 pontos incrementais em lembrança de anúncio na campanha celebrando diversidade
- 3 vezes mais reconhecimento de marca incremental com os anúncios celebrando diversidade
- 88% de redução no custo por pessoa incremental em reconhecimento da marca

Fonte: Facebook Business

LACTA

Página no Facebook: **lactaoficial**
Categoria de página: Empresa de alimentos e bebidas

A Lacta é uma fabricante brasileira de chocolates com mais de cem anos de história que segue se reinventando e criando campanhas criativas e eficientes. Com as lojas fechadas devido à pandemia de Covid-19, a marca precisava de uma solução para aumentar as vendas on-line no período da Páscoa, e apostou em uma campanha para aproximar as pessoas que estão fisicamente distantes.

Por meio de uma estratégia que envolve toda a jornada de compra do cliente iniciando no Facebook, a Lacta apresentou peças focadas em promoções direcionadas para o e-commerce da marca, soluções de venda do Facebook ou até lojas parceiras, por meio do chamado "anúncio colaborativo".

Os resultados da campanha foram impressionantes, entre eles o aumento na taxa de conversão (venda) na loja on-line da Lacta em 39%.

FOTOS: REPRODUÇÃO DA INTERNET

Saiba mais em: https://www.facebook.com/business/success/lacta

RESULTADO DA MENSAGEM COM EMPATIA E DIVERSIDADE

- 12,9 pontos incrementais em lembrança de anúncio
- 1,7 ponto incremental em associação da marca com o mote "cada pedacinho aproxima"
- 27 vezes mais engajamento na semana da Páscoa em relação à anterior
- Mais de 120 mil mensagens recebidas em apenas sete dias

Fonte: Facebook Business

MADEIRAMADEIRA

Página no Facebook: **madeiramadeiraloja**
Categoria de página: Site de casa e jardim

Você conhece a MadeiraMadeira? É um e-commerce brasileiro criado em 2009 e especializado em produtos para casa. A varejista já consolidada no mercado precisava de ajuda para atender de forma mais assertiva os desejos dos clientes, oferecendo os produtos certos no momento certo. Para isso, a marca utilizou insights de mercado para construir uma campanha focada na preferência do cliente.

Ao conectar informações de mercado às soluções do Facebook, a MadeiraMadeira conseguiu atingir o público-alvo, oferecendo os produtos que estão em alta e atraindo mais clientes para o e-commerce. De acordo com os dados apresentados no case, 73% de todas as conversões incrementais no período foram geradas pela nova estratégia.

FOTOS: REPRODUÇÃO DA INTERNET

Saiba mais em: https://www.facebook.com/business/success/madeiramadeira

RESULTADO DAS CAMPANHAS DO FACEBOOK CONECTADAS A UMA FONTE DE INFORMAÇÕES SOBRE OS PRODUTOS MAIS POPULARES NO MERCADO

✔ 73% de todas as conversões incrementais no período foram geradas pela nova estratégia

Fonte: Facebook Business

SEARA

Página no Facebook: **SearaBrasil**
Categoria de página: Cozinha/culinária

A fabricante de produtos alimentícios brasileira Seara está hoje em mais de 130 países com um catálogo robusto de carnes e produtos derivados. Para ajudar na divulgação da linha Seara Gourmet, a marca apostou no chamado *branded content* (conteúdo de marca, em português) e em duas datas comemorativas: o Dia da Pizza e o Dia do Hambúrguer.

Para as campanhas, os anúncios em vídeo e imagem focaram na qualidade e na variedade de opções oferecidas pela Seara, mesmas características presentes nos conteúdos de marca produzidos por outros criadores de conteúdo a convite da Seara.

Nos anúncios, o botão com um CTA (*call-to-action*) levava o usuário ao site da Seara para adquirir os produtos, o que garantiu 3,3 pontos incrementais em intenção de compra de acordo com o caso divulgado pelo Facebook.

FOTOS: REPRODUÇÃO DA INTERNET

RESULTADO DA CAMPANHA PENSADA PARA TODOS OS MOMENTOS DO FUNIL DE VENDAS

- 3,3 pontos incrementais em intenção de compra
- 2 pontos incrementais em reconhecimento de marca
- 13,3 pontos incrementais em lembrança de anúncio
- 7,8 pontos incrementais em lembrança de anúncio

Fonte: Facebook Business

Saiba mais em: https://www.facebook.com/business/success/seara-brasil

TON

Página no Facebook: **seliganoton**
Categoria de página: Produto/serviço

A financeira Stone Pagamentos lançou em 2020 a marca Ton, focada em micro e pequenas empresas, oferecendo maquininhas de cartões e outras soluções financeiras como conta corrente e aplicativo.

As campanhas da Ton no Facebook costumavam apresentar todo o catálogo de maquininhas para atender às diferentes necessidades dos potenciais clientes, contudo a marca percebeu que poderia alcançar mais pessoas com anúncios personalizados. Então, na nova estratégia de campanha, os anúncios direcionaram para uma maquininha específica, mesmo após estar no site, para que o cliente optasse por outro modelo.

Essa mudança "simples" de estratégia promoveu um ganho enorme para a Ton, que vendeu mais maquininhas com menor custo nos anúncios.

FOTOS: REPRODUÇÃO DA INTERNET

Saiba mais em: https://www.facebook.com/business/success/ton

RESULTADO DA OTIMIZAÇÃO PARA EVENTO DE CONVERSÕES PERSONALIZADO

- 1,4 vezes maior taxa de conversão com otimização para eventos personalizados
- 2 vezes mais compras com otimização para eventos personalizados
- 29% menos custo por conversão incremental com otimização para eventos personalizados

Fonte: Facebook Business

REDES SOCIAIS VIZINHAS

POR BÁRBARA RONCADA | IMAGENS: SHUTTERSTOCK

APOSTE EM OUTRAS PLATAFORMAS PARA DIVULGAR O SEU NEGÓCIO E EXPANDIR SUA PRESENÇA DIGITAL VIA INSTAGRAM, LINKEDIN, PINTEREST, TELEGRAM, TIKTOK, TWITTER, WHATSAPP E YOUTUBE

Já está mais do que comprovado que o Facebook é a plataforma ideal para divulgar o seu negócio, atrair clientes, interagir com o público e vender produtos e serviços – mas esta não é a única rede social com grande potencial.

Ainda que o foco principal da sua estratégia de marketing digital seja o Facebook, você pode – e deve – estar presente em outras mídias sociais de forma a impactar o seu público-alvo com diferentes conteúdos em diferentes plataformas. Alguns exemplos de redes sociais importantes e com grande público no Brasil são Instagram, LinkedIn, Telegram, TikTok, Twitter, WhatsApp e Youtube.

Mas, quais são estas outras redes sociais? Qual ou quais devo escolher para abrir uma nova página do meu negócio? Quais tipos de conteúdo geralmente são compartilhados nestas plataformas? As dúvidas são muitas, então, que tal conhecer um pouco de cada uma delas para definir onde você quer levar o seu negócio?

Vale ressaltar que, para escolher em quais mídias sociais investir, é necessário conhecer o seu público! É muito importante saber quais destas plataformas os seus clientes utilizam para divulgar a sua marca para eles.

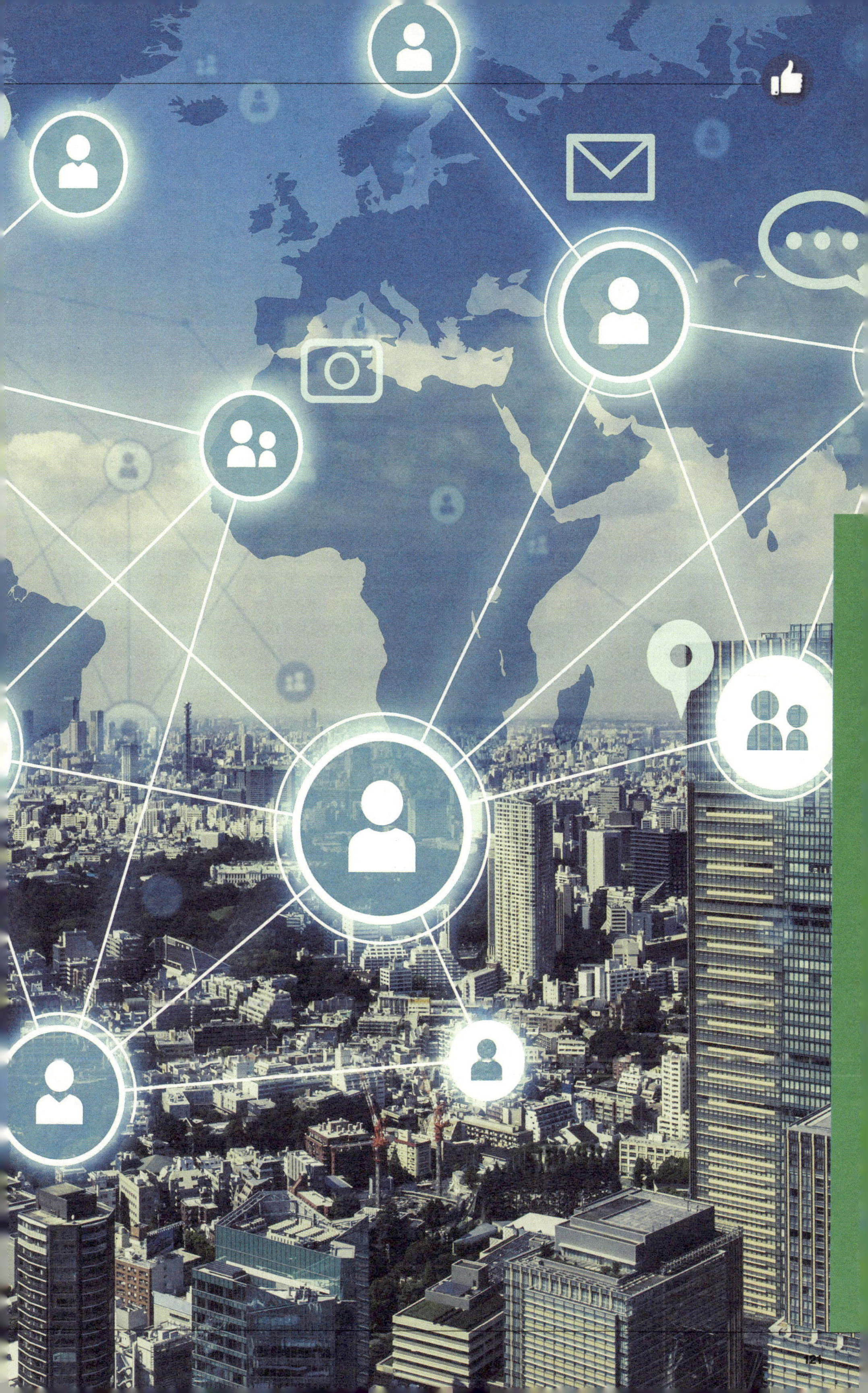

INSTAGRAM

Você se lembra que no comecinho deste guia nós vimos que o Facebook comprou um aplicativo chamado Instagram em 2012? Pois é, essa foi uma excelente aquisição, porque o Instagram é uma das redes sociais mais acessadas do mundo.

O que começou como uma rede social para compartilhamento de fotos, hoje é uma oportunidade de negócio. De acordo com o site Instagram for Business, 90% dos usuários seguem uma página de empresa no app, e 50% das pessoas ficam mais interessadas em uma marca quando veem anúncios no Instagram. Não é à toa que milhares de empresas usam essa rede para se aproximar do público.

No Instagram, as marcas podem divulgar anúncios em formato de vídeo, foto, ou story (foto ou vídeo que fica disponível por apenas 24 horas). Além de utilizar os anúncios para atingir o público-alvo da sua marca, é superimportante manter o feed do Instagram atualizado e com conteúdos atrativos e relevantes. Diferente da interface do Facebook, o perfil do Instagram se parece com uma galeria de fotos, por isso a aparência é fundamental.

Ah, e vamos falar de uma facilidade do Instagram: como o app está integrado ao Facebook, você pode criar anúncios e campanhas para ambas as redes ao mesmo tempo!

LINKEDIN

Saindo do universo das fotos supereditadas e vídeos divertidos do Instagram para os conteúdos robustos do LinkedIn, a maior rede social profissional do mundo.

Você pode estar se perguntando: é relevante para a minha empresa estar no LinkedIn? Dependendo do segmento do seu negócio, a presença nesta plataforma tem maior ou menor relevância. Empresas de B2B tendem a explorar mais o LinkedIn e apresentam até 3,5 vezes mais conversões, de acordo com o site LinkedIn for Business.

Isso não quer dizer que empresas de outros setores não devam manter uma boa estratégia de LinkedIn. Mas, o ponto de atenção aqui é a produção de conteúdos relevantes, com profundidade e profissionalismo. O LinkedIn é o ambiente para as empresas demonstrarem que têm autoridade no assunto que estão tratando e, dessa forma, atrair clientes qualificados.

PINTEREST

Já ouviu falar em "rede social de inspiração"? O Pinterest é um excelente exemplo desse conceito e já conta com 300 milhões de usuários no mundo. Este é o canal em que as pessoas buscam inspiração, ideias e referências para, basicamente, qualquer coisa!

Então, como usar a rede social como um aliado na estratégia de marketing digital? O Pinterest é uma rede visual, e você pode usá-la para posicionar a sua marca como referência – apostando em boas imagens, é claro! Ao levar aos usuários boas inspirações e ideias relacionadas ao mercado e aos produtos do seu negócio, você consegue um espaço relevante no imaginário dos clientes. Se é do ramo de marmoraria, por exemplo, é possível criar um perfil para a sua empresa e publicar ideias de ambientes para colocar mármore em casa, além da convencional pia de cozinha. Se você é do ramo de estética e beleza, pode apostar em inspirações de make, dicas de skincare, entre outros. Se é da área da arquitetura, pode publicar inspirações para otimizar o uso de todos os ambientes em apartamentos pequenos, uma tendência nas grandes cidades. Enfim, os exemplos e as possibilidades são infinitas.

Há diversos recursos úteis para as empresas no Pinterest, como a funcionalidade de linkar o seu site em todas as imagens que publicar, e a função *"Shop the look"*, em que o usuário pode clicar em diferentes pontos da imagem para ser direcionado para o site onde pode comprar aquele item.

TELEGRAM

Já ouviu falar no Telegram? O nome pode até parecer algo antigo, mas na realidade o Telegram é uma rede social relativamente nova. Criado em 2013 na Rússia, é um software de mensagens instantâneas e um dos principais concorrentes do WhatsApp, o queridinho dos brasileiros.

No Brasil, o Telegram se tornou popular em 2015 quando o WhatsApp foi bloqueado em território nacional por uma decisão da justiça, após a empresa recusar conceder informações para um inquérito policial. Como o celular e as redes sociais fazem parte da nossa vida, na ocasião mais de um milhão de novos usuários se inscreveram no Telegram.

O marketing realizado pelo Telegram é bastante particular e diferente do que normalmente é feito no Facebook ou no Instagram. Diferentemente destas plataformas em que os usuários devem seguir as páginas das marcas, no Telegram as empresas conversam com as pessoas por meio de grupos de interesse e afinidade, o que cria uma sensação maior de intimidade no relacionamento marca-cliente. Aqui, não estamos falando de anúncios e conteúdos pagos, estamos falando em engajar em discussões relevantes para o público-alvo e disseminar a filosofia da empresa.

Por ser uma plataforma com alto índice de engajamento, o Telegram também pode influenciar positivamente a presença das marcas no Facebook e no Instagram.

TIKTOK

Chegamos a um momento importante da nossa lista: a rede social que está quebrando paradigmas e mudando a nossa forma de gerar e consumir conteúdo. A proposta do TikTok é bastante simples: pessoas publicam vídeos de 15 segundos a 3 minutos sobre variados temas. No momento do cadastro na plataforma, os novos usuários escolhem o tipo de conteúdo ou categoria que estão mais interessados em ver, e quanto mais vídeos assistem, curtem e compartilham, mais bem treinado o algoritmo da plataforma fica para mostrar os vídeos mais interessantes para aquele usuário.

Os tipos de conteúdo mais populares do TikTok são vídeos de dança, de humor e os "desafios", em que os usuários tentam realizar uma determinada ação, seja uma coreografia, uma pegadinha ou outra coisa.

As empresas que querem atrair um público mais jovem têm no TikTok uma grande arma de marketing. Seguindo as tendências da plataforma e gerando conteúdo "viral", as marcas conseguem atingir um grande público.O TikTok permite que as empresas publiquem anúncios, ferramenta que está começando a ser explorada pelas marcas brasileiras agora.

TWITTER

Que marca nunca quis estar nos top trends do Twitter? Pois é, esta rede social é bastante distinta do Facebook, Instagram e TikTok porque não se baseia na publicação de fotos ou vídeos (embora tenha este recurso), mas de "tweets", como são chamadas as publicações curtas da plataforma, na grande maioria das vezes opinativas.

Para as empresas, o Twitter é uma grande ferramenta para interação direta com o público de forma leve e divertida. É bastante comum ver marcas fazendo perguntas ou instigando o público a participar de alguma discussão ou brincadeira por meio do Twitter.

O Twitter também tem uma plataforma de anúncios, porém o maior foco da presença digital nessa rede deve ser a interação com o público, o engajamento de clientes e potenciais clientes.

WHATSAPP

O WhatsApp também pode ser usado como estratégia de marketing digital? Sim!

Para começar a falar desse importante app de mensagens instantâneas, vamos relembrar que ele faz parte da rede de plataformas do Facebook, e pode ser integrado em suas campanhas, assim como o Instagram. Uma das vantagens mais óbvias do WhatsApp é a função business, para criar uma conta para o seu negócio, por meio da qual você pode interagir rapidamente com o seu cliente. É ideal configurar um bot de resposta automática, que traz uma experiência similar à inteligência artificial dos chats em websites.

Assim como no Telegram, no WhatsApp também é possível criar grupos, e muitas empresas usam estes grupos para divulgar informações sobre um evento específico que está se aproximando, por exemplo. A única desvantagem é que o WhatsApp tem um limite de 200 pessoas por grupo, enquanto no Telegram o número de usuários por grupo é ilimitado.

YOUTUBE

Para fechar com chave de ouro nossa lista de redes sociais para investir em marketing digital, vamos falar desta grande plataforma criada em 2005 e comprada pela Google no ano seguinte, o YouTube.

São muitas as plataformas de compartilhamento de vídeos disponíveis no mundo, mas esta rede é sem dúvidas uma das mais bem sucedidas e já era bastante utilizada para marketing digital mesmo antes da chegada das soluções de anúncio na rede.

Para empresas que vendem produtos, o YouTube pode ser uma excelente ferramenta para publicação de vídeos demonstrativos, que podem ser compartilhados em outras redes. Para qualquer tipo de negócio, criar conteúdos próprios relevantes para a plataforma pode aumentar a autoridade da marca na visão dos consumidores, por isso uma boa estratégia nesta plataforma é superimportante.

FAMOSOS NO FACEBOOK

POR BÁRBARA RONCADA | IMAGENS: SHUTTERSTOCK

CONHEÇA OS **PERFIS MAIS POPULARES** NO MUNDO E NO BRASIL POR NÚMERO DE SEGUIDORES

No início deste guia, apresentamos diversos números impressionantes sobre a história do Facebook, para exemplificar um pouco da grandiosidade dessa rede social. Faltou um número exorbitante: o total de seguidores na página da empresa no próprio Facebook! A fan page oficial tem 211 milhões de seguidores, e é a página com maior número de seguidores no mundo.

Resolvemos investigar quais são as outras empresas, marcas ou personalidades que realmente arrasam na rede social e conquistaram milhões de seguidores no mundo todo. No top 10 global temos nomes como Shakira e Vin Diesel, e entre os queridinhos nacionais figuram os jogadores Neymar Jr. e Kaká, além do apresentador Luciano Huck.

Que tal dar uma espiada nas próximas páginas? Quem sabe você encontra inspirações para a fan page da sua empresa ou marca?

TOP 10 NO MUNDO

1º Facebook
A página oficial do próprio aplicativo tem o maior número de seguidores no mundo.
Número de seguidores: 211 milhões
País de origem: Estados Unidos

2º SamsungGlobal
A gigante produtora de eletrônicos e serviços está em segundo lugar no ranking das páginas mais populares no Facebook.
Número de seguidores: 161 milhões
País de origem: Coreia do Sul

3º Cristiano
O jogador de futebol português Cristiano Ronaldo é a primeira pessoa no ranking das páginas mais populares.
Número de seguidores:
149 milhões
País de origem:
Portugal

4º Mr. Bean
A popularidade do personagem icônico garante à sua página uma boa posição no ranking.
Número de seguidores:
129 milhões
País de origem:
Reino Unido

5º China Global TVNetwork
O canal de televisão chinês oferece conteúdo dos mais variados segmentos em diferentes idiomas.
Número de seguidores:
117 milhões
País:
China

6º Shakira
A celebridade feminina com a página mais popular no Facebook é a cantora colombiana.
Número de seguidores:
114 milhões
País de origem:
Colômbia

7º RealMadrid
O clube de futebol espanhol ocupa o sétimo lugar da lista.
Número de seguidores:
111 milhões
País de origem:
Espanha

8º WillSmith
Não basta ser ator, rapper, produtor musical, de cinema e de televisão, pai e marido. Além de tudo isso, o artista também tem uma das páginas mais populares no Facebook.
Número de seguidores:
108 milhões
País de origem:
Estados Unidos

9º VinDiesel
O ator, roteirista e produtor de cinema também tem um dos perfis mais seguidos no mundo.
Número de seguidores:
107 milhões
País de origem:
Estados Unidos

10º Buzz FeedTasty
Humm, ver o feed do Tasty dá água na boca, não é? E a página criada pelo BuzzFeed está entre as top 10 do mundo.
Número de seguidores:
106 milhões
País de origem:
Estados Unidos

TOP 10 NO BRASIL

1º NeymarJr

O astro do futebol nacional tem a página brasileira com maior número de seguidores no Facebook – não é uma grande surpresa dada a sua popularidade, não é verdade?
Número de seguidores: 88 milhões

2º Ronaldinho

E por falar em futebol, Ronaldinho Gaúcho está no segundo lugar do ranking com uma base sólida de seguidores.
Número de seguidores: 50 milhões

3ª Kaká

Os jogadores de futebol realmente dominam o Facebook! Kaká está na terceira posição do ranking.
Número de seguidores:
38 milhões

4º PauloCoelho

O autor conhecido internacionalmente por seus livros também tem uma das páginas com maior número de seguidores no Brasil.
Número de seguidores:
28 milhões

5º DavidLuiz Oficial

Mais um astro dos campos, o jogador paulista de futebol figura na quinta posição do ranking.
Número de seguidores:
28 milhões

6º LucianoHuck

O apresentador Luciano Huck ganhou os corações dos brasileiros ao comandar o programa Caldeirão do Huck por 20 anos. Não à toa ele está entre os mais seguidos no Facebook.
Número de seguidores:
18 milhões

7º Guarana Antárctica

A marca de refrigerante tem páginas ativas nas redes sociais e não poderia estar de fora do ranking.
Número de seguidores:
14 milhões

8º Programa Pânico

O programa trouxe alegria, controvérsias e polêmicas durante 20 anos. A página do programa se mantém ativa no Facebook e tem uma legião de seguidores.
Número de seguidores:
12 milhões

9º Skol

Cerveja está entre as maiores paixões dos brasileiros, e a Skol está representando a bebida com o nono lugar no ranking.
Número de seguidores:
11 milhões

10º MichelTelo

Para fechar o ranking, um dos maiores nomes do sertanejo brasileiro, conhecido internacionalmente.
Número de seguidores:
9 milhões

**A consulta das páginas mais seguidas no Facebook foi realizada em julho de 2021. Os números devem sofrer alterações ao longo do tempo.*

As Super Listas
https://tinyurl.com/2p967mn9

Business Connect
https://tinyurl.com/2p8ayvrd

Canaltech
https://tinyurl.com/yc9mdvkn

CNN
https://tinyurl.com/2p97kw3b

Correio do Estado
https://tinyurl.com/59bjc5vp

Dinamize
https://tinyurl.com/39z6cuvf

G1
https://tinyurl.com/2p9edadm
https://tinyurl.com/5t52386f

Hibox
https://tinyurl.com/ycks26s4

Hotmart
https://tinyurl.com/yckrzws4

Facebook
https://tinyurl.com/4n6bt48z
https://tinyurl.com/yc32hrd7
https://tinyurl.com/yckw962k
https://tinyurl.com/2f96z955

Luciano Larrossa
https://tinyurl.com/s2znykdv

M2BR
https://tinyurl.com/2p932rwf

Neil Patel
https://tinyurl.com/2p8je4v5

Pinterest
https://tinyurl.com/yc6m54m6

Publi
https://tinyurl.com/2p8cjwm3

Resultados Digitais
https://tinyurl.com/4afbvksw
https://tinyurl.com/yynvwnyj

Rock Content
https://tinyurl.com/bddh7xev
https://tinyurl.com/bd7yrrc9
https://tinyurl.com/y2udkwa6
https://tinyurl.com/2p98mexa
https://tinyurl.com/2p8prccr

Salesforce
https://tinyurl.com/2p99st84

Statista
https://tinyurl.com/sy8bu2na

TechTudo
https://tinyurl.com/28n5pb5s

TecMundo
https://tinyurl.com/y35dzrkv

Uol
https://tinyurl.com/2p8z93er

Veja
https://tinyurl.com/bdzwe2yb

1ª Impressão 2022

Presidente: Paulo Roberto Houch
MTB 0083982/SP

Coordenação Editorial: Priscilla Sipans
Coordenação de Arte: Rubens Martim (capa)
Edição: Mara Luongo
Redação: Bárbara Roncada
Apoio de revisão: Gabriel Cól
Diagramação: Giselly Motta

Vendas: Tel.: (11) 3393-7727
(comercial2@editoraonline.com.br)

Impresso no Brasil.
Foi feito o depósito legal.

Direitos reservados ao
IBC — Instituto Brasileiro de Cultura LTDA
CNPJ 04.207.648/0001-94
Avenida Juruá, 762 — Alphaville Industrial
CEP. 06455-010 — Barueri/SP
www.editoraonline.com.br

Dados Internacionais de Catalogação na Publicação (CIP)
de acordo com ISBD

R769m Roncada, Bárbara

Marketing Digital O Segredo - Facebook / Bárbara Roncada.
- Barueri : Camelot Editora, 2022.
128 p. ; 15,5cm x 23cm.

ISBN: 978-65-80921-13-3

1. Marketing. 2. Marketing Digital. 3. Facebook. I. Título.

2022-3872 CDD 658.8
CDU 658.8

Elaborado por Vagner Rodolfo da Silva - CRB-8/9410